iPad

仕事術!

iPad Working Style Book!!!!

2024

CONTENTS

特集!! 今、使うべきアプリ特集 4

iPad
仕事術!

特集：今、使うべきアプリ！

本書の前半では、iPadで使える優れた4つのアプリを「今、使うべきアプリ」として特集している。どのアプリも高機能かつ、素晴らしい完成度を誇り、使って損のないものなので、関心のあるものからぜひとも使ってみていただきたい。

1
Goodnotes 6

強力な新機能が多数追加された人気No.1の手書きノート！

iPadにおける手書きノートの人気No.1をずっと保持していた「GoodNotes 5」がついに大幅なアップデートを遂げて「Goodnotes 6」となった。フォルダでノートを管理でき、ペンやそのほかのインターフェイスが素晴らしく使いやすいのはそのままで、ノートの大きさ、形を自由に変えられたり、こすって消したり、ペンで囲って選択と、ペンのジェスチャー機能も増えている。それだけでなく、数式にも対応し、スペルチェック機能も搭載（日本語にはまだ未対応）、さらにはAI機能も追加という大幅なアップデートになっている。

ただ、もともと980円の買い切り型という、非常にお得なアプリだったのがやや高価になったのは残念だが、GoodNotes 5からのアップデートは金額が割引になったり、アップデート後も再度ダウングレードが可能と、非常にユーザーへの気配りができている点が素晴らしい。

→ **22**PAGE

無料版でもかなり
便利に使える
生成AIを使おう！

2 生成AI

ここ最近、怒涛の勢いで開発が進んでいる、ChatGPTをはじめとした、いわゆる「生成AI」。iPadでなければ使えない、というわけではないが、iPadでも充分に効果的に使えるので大きくページを割いている。

「ChatGPT」については、AIを活用した文章生成のポイント、要約などの基本的な使い方を押さえ、さらにアイデア出しや表にまとめる機能などを解説。そして、躍進がすさまじいMicrosoftの「Copilot」での画像生成や音楽生成の方法を解説。Copilotがすごいのは、それらの機能が無料版でも使えることと、ChatGPTでは有料版でしか使えない「GPT-4」も無料で使える点だ。

やりたい用途に応じて、どのように生成AIアプリを使い分けていくか、無料版のみでもOKか、それとも有料版を使うべきか、なども詳しく解説している。

→ **44**PAGE

3 メモ

Apple純正の標準アプリでありながら、毎年これでもかと新機能が追加されているのが、ご存知「メモ」アプリ。iPadOS 17でも、PDFをメモ内に配置し、スムーズに閲覧できるだけでなく注釈も書き込めたりなど、便利な機能が細かく増えている。フォルダとタグでメモを管理できる機能や、柔軟にスタイルが選べるウィジェットなどは、有料版の手書きノートアプリでもなかなか装備していない優れた特徴である。

これからApple Pencilを使って、手書きを始めてみたい人なら、しばらくはメモアプリだけでまったく問題ないかもしれないほどの多機能ぶりだ。もちろん、手書きだけでなく、テキスト入力も可能なので、目的に応じて、本当に便利に利用できる。

手書きもテキスト
入力も完璧な
最強の純正アプリ！

→ **52**PAGE

アナログとデジタルが
完全に融合した超便利な
手帳型アプリ！

4 AJournal

手書きが活用できるカレンダー、スケジューラーアプリはこれまでにもいくつか人気アプリがあったが、この「AJournal」は、その決定版となるかもしれない優れたアプリ。Apple標準カレンダーやGoogleカレンダーとの同期はもちろん、標準リマインダーとも同期ができ、凄いのは、アプリ内の90%の面積に手書きが可能なこと。予定やタスクを見ながら、手書きでどんどんメモを追加していくことができるのだ。

ほかにも、さまざまなテンプレートを自分でカスタマイズして自分にベストな状態を追求したり、カレンダー内にページを追加して手書きノート的に使ったりと、手帳型のアプリを好きな人なら、一度は試してみて欲しいアプリとなっている。

→ **62**PAGE

iPadを「最高の仕事ツール」にするための
5つのキーワード

iPadは「どの作業に向いているか?」をイメージしよう!

iPadは使用するスタイルやアプリの組み合わせで無限の可能性を秘めているデバイスだ。だがそれだけに、手にした始めのうちはどんなことに活用すべきなのかが見えにくいというのも事実。そこで、仕事における日常的なプロセスを5つのキーワードに分け、それぞれの過程でiPadをどのように活用できるかを考えてみよう。

1 入力

iPadを「最高のデジタル文具」にする

iPadには、Apple Pencilはもちろん、優れたノートやメモ、スクリブル機能といった日常のあらゆる情報を記録するツールが豊富に揃っている。「デジタルの紙」としてどんどん活用していこう。

2 編集

iPadがあれば、そこはもうオフィス

ノートパソコン並の性能と大きなディスプレイを搭載したiPadは、情報を編集する作業にもとても役に立つ。編集した情報はプロジェクトメンバーと共有することで、さらに仕事を効率的に進めることができる。

3 情報収集

ネット上のあらゆる情報を集約させる

iPadをネットに接続すれば、最高の情報収集端末に早変わりする。高機能なブラウザでWebから有益な情報をクリッピングしたり、ニュースサイト、SNSなどから自分に有益な情報をピックアップして収集できる。

4 効率化

無駄な時間とストレスを削ぎ落とす

今までは「そういうもの」と思って行ってきた単純な作業も、優れたツールを使えば革命的に作業を効率化できることに気がつく。ひとつひとつは小さな時短でも、積み重ねることで大きな利益を生み出すかもしれない。

5 管理

iPadがあなたの時間をマネジメント

仕事の世界において、時間の管理は必須条件。スケジュールやタスクをiPadで集中管理することで、今取るべき行動、考えるべきことが見えてくる。iPadは優秀で従順なマネージャーとして活躍してくれるだろう。

今、仕事で使える iPadはこれ!

現在、iPadは多くの機種が販売されており、人によってベストな機種が異なるだろう。また、2023年は1台も新機種が発売されなかったこともあって、2024年3月以降の新機種の発表も気になるところだ。新機種のスペックの予想も交え、iPadの機種を解説していこう。

2024年・春に登場する予定の新機種は!?

有機EL版iPad Proの登場! Airも発売される!?

2024年初春に登場予定の新型iPad Proは、ディスプレイとデザインに注目すべき変化をもたらす可能性が高い。iPadとしては初めて有機ELディスプレイを搭載し、以前のモデルに比べて、より高いコントラストと鮮やかな色彩をユーザーに提供する。視野角が広く、消費電力が低いことも有機ELディスプレイの魅力の1つだ。

ディスプレイサイズは11インチと12.9インチの選択肢は変わらず、カバーガラスの薄型化と薄膜カプセル化技術の導入により、前モデルよりも軽く、よりスリムになる。その結果、持ち運びが格段に楽になると期待されている。

デザインの変更に合わせて、新しいApple PencilとMagic Keyboardのリリースも予想されている。性能面では、新たにM3チップが搭載されるものの、M2チップを使用する現行モデルと比較しても、処理能力の大きな変化はないと見られている。

新型iPad Proは価格が高めで、11インチモデルは約216,800円、13インチモデルは約261,800円ぐらいと予想されている。現行モデルと比べて約9万円高くなるが、その価格は有機ELディスプレイなどの高度な技術によるものと考えられている。また、画面の大きくなったAirも発売されると考えられている。

ここがポイント

1 iPadモデル初の有機ELディスプレイを搭載
高いコントラスト比、鮮明な色再現性、広い視野角、低消費電力を実現。

2 新しいApple PencilとMagic Keyboardの登場
現行モデルからデザインが変更になるため、第3世代のオプション品が登場する可能性がある。

3 20万円を超える高額iPad
11インチモデルは約216,800円、13インチモデルは約261,800円と予想されており、価格は高い。

※この記事は、2024年2月6日までの予想をもとに新機種を推測した記事です。

iPad最高額モデル!?

2024 New iPad Pro ?

コスパで選ぶなら旧世代の無印iPad!

ノートPCなみの価格になった最新モデルを買う必要はない

余計な出費は抑えつつ、ひとまずiPadの持ち味を最大限に活かしたい場合、2021年9月14日に発売されたやや古いモデル、iPad（第9世代）が最適だ。

現在、アップル公式サイトではiPad（第10世代）と1つ前のモデルである（第9世代）が販売されている。第10世代は、プロセッサーやグラフィック、カメラの解像度、ネットワークなど、さまざまな点で高速でパワフルなパフォーマンスを発揮するだろう。ただし、マルチタスク機能や手書き作業を効率化する機能（Slide OverやSplit Viewなど）は、第9世代でも特に変わらない形で利用できる。また、第10世代に対応したApple Pencilはペンの後ろをポートに差し込んで充電する古い第一世代だ。

手書きによるノート作業が主体である場合、15万円以上も価格差が生じる最新のiPad Proを購入する必要はない。第9世代の10.2インチiPadで十分だ。メモを取ったり、Split Viewで複数のアプリを使ったり、PDFに注釈をつけたりする作業ならば、第9世代でも快適に行うことができる。

ここがポイント

1 iPad（第9世代）はやや古いがiPadの持ち味を最大限に活かせるコスパモデル。

2 iPad（第10世代）はパワフルなパフォーマンスを発揮するが値段が跳ね上がる。

3 手書きによるノート作業が主体の場合、第9世代でも十分に仕事に使用することができる。

iPad最安値モデル!

10.2インチiPad
第9世代

毎日のように持ち運ぶなら軽くて小さいmini 6

移動中や外出先での利用に最適なiPad

携帯性に優れたiPadを探しているならiPad mini 6がおすすめだ。mini 6は、8.3インチの小型ディスプレイサイズと、6.3mmの薄さが特徴で、バッグやポケットにも収納しやすく、移動中にもストレスを感じにくいコンパクトなサイズ感が魅力的だ。また、わずか300g以下の重量で、片手でも持ち運びが簡単なため、電車内などでも広げやすく使いやすい。

さらに第2世代のApple Pencilに対応しているのも大きなメリット。側面にApple Pencilを取りつけることができるため、外出先でも簡単に手書きメモを取ることができる。充電ポートはiPad Proと同じUSB-Cポートで、急速充電が可能で、カメラやUSBメモリなどを取りつけてデータのやり取りが高速に行える。

さらに、A15 Bionicチップを搭載しているため、iPad（第9世代）やiPad（第10世代）よりも高速に動作することも特徴だ。ビジネスや日常利用でもストレスを感じることなく、効率的に作業を行うことができるだろう。

また、mini 6は、リモートワークやオンライン授業などの環境でも便利。小型で軽量なため、移動中や外出先でも手軽に利用でき、FaceTimeやその他のビデオ通話アプリを使ってリモートワークや授業などに活用することができる。

ここがポイント

1 iPad mini 6は、携帯性に優れている。

2 第2世代のApple Pencilに対応し、USB-Cポートを搭載しており、現行のiPad Proと同じ仕様感。

3 A15 Bionicチップを搭載しているため、無印iPadより高速に動作する。

2024年秋には
iPad mini 7が
登場するかも!?

安心して何にでも使えるAir

M1チップ採用で安心の性能！ただ新機種が出る可能性は大きい！

iPadの上位モデルiPad Air 5は、現在販売されているiPadシリーズの中でも、高性能でありながら軽量でスリムなデザインが特徴のモデルだ。iPad Air 5は、iPad Proと同様のデザインを採用しており、スリムで角ばったデザインが特徴的だ。また、5種類のカラーバリエーションから選ぶことができ、好みに合わせたカラーを選ぶことができる。

iPad Proと同じAppleシリコンのチップ（M1）を搭載しているので、無印iPadやiPad mimi 6よりも高いパフォーマンスを発揮する。ノート作成やメモ作成だけでなく、動画編集や写真編集など負担のかかる作業でもフリーズすることなく快適にこな

すことができる。また、Airシリーズでは今回初めてセルラーモデルが高速通信5Gに対応している。にもかかわらず最廉価モデルが92,800円（税込）で、iPad Proより3万も安い。

そして、2024年春にはM2チップ搭載でiPad Proと同じサイズの12.9インチ型iPad Airが発売する噂もある。「Proは厳しいけどAirなら」という人は要チェックだ。

ここがポイント

1 iPad Air 5は、高性能でありながら軽量でスリムなデザインが特徴。

2 iPad Proと同じAppleシリコンチップ（M1）を搭載しており、高いパフォーマンスを発揮する。

3 M2チップ搭載の12.9インチの新型が発売される可能性がある。

iPad Proと同じM系チップ搭載！

---

iPadは整備済み製品も考えていこう！

ほぼ新品と変わらないので見つかったらチャンス！

iPadの購入時に「新品」に固執する必要はない。確かに新品の魅力は無視できないが、新品にこだわらないのであれば、「整備済み製品」も視野に入れてみてはどうだろうか。整備済み製品とは、新品として販売されたものの、何らかの理由で返品や回収された商品を、Appleが再整備して販売する商品

のこと。具体的には、返品された商品や不具合があったために新品に交換された商品のことだ。

Appleでは公式サイトで認定整備済み製品を販売しており、ほぼ新品と変わらない状態の製品を購入することができる。使用される交換部品はApple純正品で、充電器などのオプションも新品と同じく付属しているので、中古店で購入するより信頼性が高い。さらに、新品とほぼ同様のApple認定

の保証期間（1年間の製品保証と90日間の技術サポート）が適用されるので、万が一の不具合があっても、通常通りApple公式の修理サービスやApple認定修理店を利用することが可能だ。

ただし、値段は中古店で販売されているよりも高く、現行モデルは販売されておらず、一世代古くなる。また、販売台数が少ないため、欲しいモデルがある場合は定期的にサイトをチェックする必要がある。

メリット
- Apple純正の交換部品が使われている
- Apple認定の保証サービスを受けられる
- 充電器などのオプションも付属

デメリット
- 販売台数が少なく、すぐに売り切れる
- 中古ショップより価格は高い
- 最新モデルは販売されない

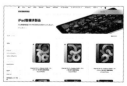

iPad整備済製品販売ページ
iPadの整備済製品は、Apple公式サイトから購入できる。購入方法は新品を買うときとまったく同じで、カラーやストレージ量など選択するだけだ。

整備品商品販売例（2024年2月1日時）　※価格は税込

機種名（すべてWi-Fiモデル）	中古店の相場	整備品
iPad Air（第4世代）64GB	63,000円	69,800円
iPad Air（第4世代）256GB	70,000円	87,800円
11インチiPad Pro（第3世代）128GB	90,000円	99,800円
12.9インチiPad Pro（第5世代）128GB	123,000円	135,800円

12.9インチiPad Pro（第5世代）Wi-Fi 128GB の整備済み製品なら135,800円。中古よりも高いが、20万を超える高い最新モデルが必要ないのであれば、保証サービスも付属している整備品を選択するのもよいだろう。

とにかく最高のパフォーマンスを引き出したいならPro

Penicilをメインに使いたい人やディスプレイにこだわる人におすすめ

iPad Proシリーズは、iPadの最高性能を求める人にぴったりのモデルだが、最新モデルはあまりに高くて手が出しづらい。旧世代を選択するのもよいだろう。12.9インチiPad Pro（第6世代）と11インチiPad Pro（第4世代）にはM2チップが搭載されている。M2チップは、M1と比較して最大15パーセント高速な8コアCPUと、最大35パーセント高速なグラフィックス処理能力があり、膨大な写真の編集や3Dオブジェクトを扱うデザイナー、医療従事者やゲーマーなど、最も負荷の高い仕事をする人に威力を発揮するだろう。

ディスプレイ面では、iPad Proは120HzのPro Motionテクノロジーに対応しており、ほかのiPadと比べて画面の動きがスムーズで処理速度が高速だ。特にApple Pencilを使用して細かい作業をする場合には、この高速処理が必要不可欠となる。そのため、Apple Pencilの書き心地にこだわる人に特におすすめだ。

M2チップは現在最新のiPad Proシリーズにしか搭載されていない。

Face IDを採用しているのはProシリーズだけ

iPad Proモデルのみ、顔認証技術のFace IDが搭載されている。Face IDはただロック解除が楽になるだけでなく現在は、ミー文字の作成や作成したミー文字の利用にも関与している。ミー文字をメッセージやFaceTimeでのビデオ通話で使用することができるiPadモデルはiPad Proシリーズだけとなる。本誌96ページで紹介しているミー文字の活用を楽しむにはiPad Proシリーズを所有している必要がある。

現在、ミー文字を作成できるiPadモデルはProのみとなる。

URB-4対応コネクタにWi-Fi6と5G

iPad Proは多くの点で優れている。WiFi6Eという超高速のワイヤレス接続に対応しているため、前のモデルよりも2倍速くなり、2.4Gbpsの速度でビデオやファイルを送受信できる。ビジネスで大容量のファイルを送信したり、家庭で高品質なストリーミング動画を楽しんだりする際に役立つ。さらに、5Gにも対応しているので、モバイル通信においても高速で安定した通信を可能にする。

USB-CコネクタもiPad Proの大きな特徴の一つだ。最新のUSB4にも対応しているため、よりデータ転送が高速に行われる。さらに、iPad ProのUSB-Cポートは充電が双方向でできるので、iPadのバッテリーを使って外付けのストレージ、カメラ、ディスプレイなどのアクセサリに電力供給ができる。

さらに、iPad Proには4つのスピーカーが搭載されており、iPadが縦でも横でも、臨場感のあるステレオの音響体験を得ることができる。一方、ほかのモデルのスピーカーは2つしかないため、音質、音の定位が違うことは明らかだ。

クリエイターやプロフェッショナル、ビジネスユーザーにおすすめ

ここがポイント

1 1.iPad ProシリーズはM2チップ搭載による高速処理が可能

2 120HzのProMotionテクノロジーによる滑らかなディスプレイ表示

3 Face IDによる顔認証やWiFi6E、USB-Cコネクタ対応など、多くの機能も搭載。4つのスピーカーで音響体験も高品質。

Apple Pencilの世代に注意してモデルを選ぼう

Apple Pencilには世代があり、iPadモデルによって利用できる世代は異なる。第1世代Apple Pencilは、iPadのLightningコネクタに接続して充電するタイプで、iPad（第9・10世代）と互換性がある。第2世代Apple Pencilは、ペンをiPadの側面に装着して充電するタイプで、iPad Pro、iPad Air（第4、5世代）、iPad mini 6で利用できる。さらに、iPad Proの新モデルにあわせて第三世代のApple Pencilも登場予定だ。

どちらの世代がよいかは、ユーザーの予算と個人的な好み次第だが、第2世代Apple Pencilは、第1世代に比べて充電が簡単で、バッテリー持続時間が長いというメリットがあり、また握りやすく手が疲れにくいのでおすすめだ。

iPadOS 17が
動作するiPadはこれ!

iPad Air シリーズ

iPad Proほどのスペックは必要ないが、デザインとスペックのバランスがとれたAirシリーズ。Air 5はM1チップが搭載され、ディスプレイの品質以外はほぼProと変わらないスペックの上位機種となっている。

対応機種

iPad Air 第5世代（10.9インチ）	
iPad Air 第4世代（10.9インチ・販売終了）	
iPad Air 第3世代（10.5インチ・販売終了）	

iPad Air 第5世代

プロセッサ	Apple M1チップ
スピーカー	2スピーカーオーディオ
Apple Pencil	第2世代対応
Keyboard	Magic Keyboard、Smart Keyboard Folio対応
カラー	スペースグレイ、スターライト、ピンク、パープル、ブルー
価格	92,800円～

iPad シリーズ

デザインは新しくなったものの、一部の機能（Pencilの世代など）に中途半端な部分のある第10世代と、昔ながらのデザインの第9世代がある。重い作業をしないなら、今でも第9世代はおすすめの機種だ。

対応機種

iPad 第10世代（10.9インチ）	
iPad 第9世代（10.2インチ）	
iPad 第7～8世代（10.2インチ・販売終了）	
iPad 第6世代（9.7インチ・販売終了）	

iPad 第10世代

プロセッサ	A14 Bionicチップ
スピーカー	2スピーカーオーディオ
Apple Pencil	第1世代対応
Keyboard	Magic Keyboard Folio対応
カラー	ブルー、ピンク、イエロー、シルバー
価格	68,800円～

iPad Pro シリーズ

2024年の春にはニューモデルの出る可能性の高いPro
シリーズだが、予想される価格も高く、超ハイスペック
機種が必要でないなら、現存のM2モデルのiPad Proも
充分すぎるスペックを誇っており、魅力的な機種だ。

対応機種

iPad Pro 第3世代以降（11、12.9インチ）
iPad Pro 第2世代（10.5、12.9インチ・販売終了）

iPad Pro 11インチ 第4世代

プロセッサ	Apple M2チップ
スピーカー	4スピーカーオーディオ
Apple Pencil	第2世代対応
Keyboard	Magic Keyboard、 Smart Keyboard Folio対応
カラー	シルバー、スペースグレイ
価格	124,800円〜

iPad mini シリーズ

どこにでも持ち運べ、人気のminiシリーズ。最新のモデ
ル「iPad mini 6」でも2021年発売とだいぶ古くなって
いるが、スペック的にはまったく問題なく快適に使用で
きる。新作は2024年の秋以降と予想されている。

対応機種

iPad mini 6（8.3インチ）
iPad mini 第5世代（7.9インチ・販売終了）

iPad mini 第6世代

プロセッサ	A15 Bionicチップ
スピーカー	2スピーカーオーディオ
Apple Pencil	第2世代対応
Keyboard	非対応
カラー	スペースグレイ、ピンク、パープル、 スターライト
価格	78,800円〜

本書の使い方

アプリの入手方法について

本書で紹介しているアプリにはiPadに標準で入っているアプリと、App Storeで扱っているアプリの2種類があります。App StoreのアプリはApp Storeアプリでカテゴリから探すか、iPad標準のカメラアプリを利用して誌面のQRコードを読み取り、インストールしてください。

誌面のアプリ紹介部分のQRコードをカメラアプリで読み取ろう。

カメラアプリでQRコードを読むと、リンクが黄色で表示されるので、それをタップしよう。

該当のApp Storeが開くのでアプリを入手しよう。

もっと基本的なことを知りたい場合は

本書は、ある程度iPadを使った経験がある人に向けて編集していますので、スペースの都合上、iPadの基本的な情報は網羅できておりません。iPadの扱い方の基本は、Appleのサポートサイトで無料で閲覧できる「iPadユーザーガイド」を読むのがオススメです。サイトにアクセスすると、何種類かのユーザーガイドが表示されますが、「iPadユーザーガイド（iPadOS 17用）」を選びましょう。

Apple製品別マニュアルサイト
https://support.apple.com/ja_JP/manuals/ipad

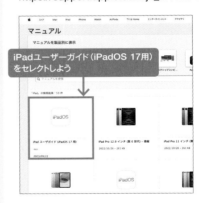

iPadユーザーガイド（iPadOS 17用）をセレクトしよう

上記サイトにアクセスしよう。iPad以外の製品の解説書も読むことができる。

iPadの基本的な使い方がわかりやすくまとめられている。

WARNING!! 本書掲載の情報は、2024年2月5日現在のものであり、各種機能や操作方法、価格や仕様、WebサイトのURLなどは変更される可能性があります。本書の内容はそれぞれ検証した上で掲載していますが、すべての機種、環境での動作を保証するものではありません。以上の内容をあらかじめご了承の上、すべて自己責任でご利用ください。

特集!!

今、使うべきアプリ4

Great iPad Apps Four

Goodnotes 6

最も人気の手書きノートアプリを徹底解説!

究極の手書きノート「Goodnotes 6」で便利で役立つノートを作る!

使いやすいインターフェースと優れたノート管理能力であらゆるユーザーから好評価

ノートアプリとは、その名の通り、何かを書き留めるためのアプリ。メモアプリやTodoアプリと異なる点は、あるテーマ（ノート名）と、そのテーマに沿った複数のページで構成されているノート形式になっていること。思いついたことを一時的に書き留めるよりも、あるテーマに沿って連続したメモを書き留め、何度も復習するときなどに役立つ。具体的には、学習ノートや日記、仕事のアイデア帳などに使うことが多いだろう。

また、手書きでメモを取る機能が中心なのもノートアプリの大きな特徴だ。手書きであれば、自由なレイアウトと装飾性の高いメモが作成できる。写真や絵文字などのイメージファイルを取りこみ、好きな位置に配置することもできる。

「Goodnotes 6」は、使いやすいインターフェースと高度なノート管理機能で評価が高いノートアプリ「Goodnote」シリーズの最新版。有料アプリだが無料版も用意されており、基本的な機能や使い心地の良さは定評がある。気に入ったら有料版に切り替えるといいだろう。

Goodnotes 6の注目点はAI機能の追加だ。単語のつづりを忘れたときでも候補の文字を提案したり、誤字脱字や間違いを指摘してくれる。ただし現在、一部の地域でのみ利用可能なので、前バージョンのGoodNotes 5のユーザーは完全版がリリースされたらアップデートするのもいいだろう。

ノートアプリ「Goodnotes 6」とはどんなアプリなのか?

ノートのように表紙と複数のページで構成されている

| 表紙 | 1P | 2P | 3P | 4P | 5P |

← 本やノートのような形式!

冊子やパンフレット、電子書籍と同じように表紙（テーマ）と複数のページで構成されている。あるテーマに関して長期的なメモを記録するときに便利。

手書きでのメモが中心

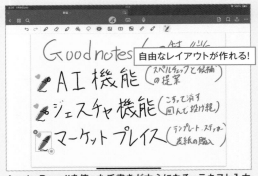

自由なレイアウトが作れる!

Apple Pencilを使った手書きが中心になる。テキスト入力するタイプと異なり自由なレイアウトが作成できる。

優れたノート管理

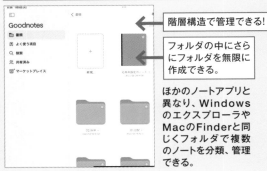

← 階層構造で管理できる!

← フォルダの中にさらにフォルダを無限に作成できる。

ほかのノートアプリと異なり、Windowsのエクスプローラやファイルと同じくフォルダで複数のノートを分類、管理できる。

便利なAI補助

単語の綴りや誤字脱字がある場合に候補を提案してくれる。

Goodnotes 6

作者/Time Base Technology Limited
価格/年間プラン:1,350円
買い切りプラン:4,080円
価格体系の詳細は38ページ参照

あらゆる機能が使いやすく調整された。誰にとっても使いやすい究極の手書きノート!

同期設定を考え、フォルダを作成する

基本

iCloudを有効にして自動でバックアップする設定にしよう

ノートを作成する前に同期の設定を行おう。Goodnotes 6で作成したノートは同期機能を通じて自動でiCloudにバックアップされる。再インストールしたときも以前の状態に復元でき、ノートだけでなくフォルダや「書類」画面の階層構造まで復元できる。また、フォルダ作成時はフォルダカラーを指定したり、フォルダにアイコンをつけることができる。

iCloudの同期設定を有効にする

❶タップ

❷タップ

❸iCloudを有効にする

1 「書類」画面右上にある設定ボタンをタップして「クラウド&バックアップ」をタップ。「クラウドストレージ」をタップしてiCloudを有効にしよう。

ノートやフォルダを作成する

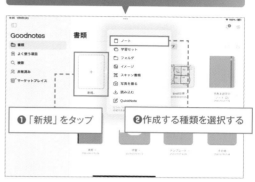

❶「新規」をタップ

❷作成する種類を選択する

2 新しくノートやフォルダを作成するには、「新規」をタップしてメニューから「ノート」や「フォルダ」を選択しよう。

表紙とテンプレートを選んで、環境を整える

基本

テンプレートを使って目的に応じたノートを作成できる

ノートを作成する際は表紙やページのデザインを選択する必要がある。Goodnotes 6では、無地、罫線、方眼紙などあらかじめ多彩なテンプレートが用意されている。目的に応じたノートを作成することが可能だ。また、表紙や用紙のサイズや横縦、カラー（白、黒、黄）を指定できる。なお、ノート作成後でもテンプレートの変更はできる。

用意されているテンプレートを選ぶ

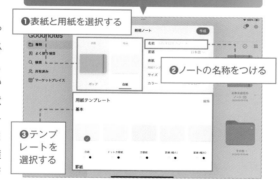

❶表紙と用紙を選択する

❷ノートの名称をつける

❸テンプレートを選択する

1 ノート作成画面左上で表紙と用紙（ページ）を選択すると、下部に対応するテンプレートが表示される。上下にスクロールして利用するテンプレートを選択しよう。

サイズやカラー、向きを変更する

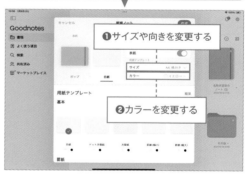

❶サイズや向きを変更する

❷カラーを変更する

2 ノート作成画面右でテンプレートのカスタマイズができる。カラー、サイズ、縦横の向きの変更ができる。

こんな用途が便利！

ノートサイズは自分の好きなサイズに設定できる

1

Goodnotes 6のノートサイズは、標準でさまざまな定形サイズが用意されているが、縦横のサイズを指定してオリジナルの用紙サイズを作ることもできる。ノート作成画面の「サイズ」をタップして、「カスタム」をタップしよう。サイズ指定画面が表示されるので幅と高さのポイント値（pt）を指定しよう。サイズを大きくすればスクロールでメモを確認でき便利だ。

タップして数値を指定

極端に縦長にすればブログ記事やウェブページのようなスクロールで内容を確認できる特殊なメモ用紙が作れる。

ペンの種類や特徴を知ろう

基本

3種類のペンと蛍光ペンを使う

Goodnotes 6では「万年筆」「ボールペン」「筆ペン」の3種類のペンと1種類の蛍光ペンが用意されている。利用するペンによって筆跡が異なり、ペンの太さやカラーはカスタマイズできる。標準でいくつかカラープリセットが用意されているが、独自のカラープリセットを作成することもできる。よく利用するプリセットはツールバー右側に登録しておこう。

利用するペンを選択する

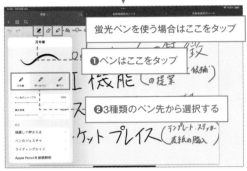

- 蛍光ペンを使う場合はここをタップ
- ❶ペンはここをタップ
- ❷3種類のペン先から選択する

1 ツールバー左にあるペンアイコンから利用するペンを選択しよう。ボールペンが標準だ。

カラーを選択する

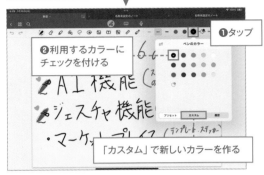

- ❶タップ
- ❷利用するカラーにチェックを付ける
- 「カスタム」で新しいカラーを作る

2 カラーをカスタマイズするにはツールバーのパレットボタンをタップ。利用するカラーにチェックを入れよう。「カスタム」から色を新しく作ることもできる。

ペンをさらに使いやすくカスタマイズする

基本

筆圧感度を調節してより紙に近い感覚にする

万年筆や筆ペンは、ペン先の筆圧感度やペン先のシャープさなども細かく調節できる。標準でも十分に心地よいが、それでも筆感に不満がある場合は、納得が行くまで筆先をカスタマイズしよう。また、手や服が画面に当たっても認識せずペン先のみ認識できるようにするパームリジェクションの設定も行える。

筆圧感度やシャープさを調節する

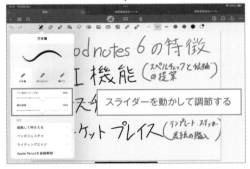

- スライダーを動かして調節する

1 筆圧感度の設定ができるのは万年筆と筆ペン、ペン先のシャープさを設定できるのは万年筆のみとなる。各感度は25%ずつ変更できる。

パームリジェクションの設定を行う

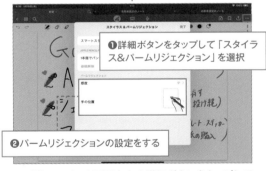

- ❶詳細ボタンをタップして「スタイラス&パームリジェクション」を選択
- ❷パームリジェクションの設定をする

2 ノート画面右上の詳細ボタンをタップして「スタイラス&パームリジェクション」を選択。「パームリジェクション」で感度や手の位置を指定しよう。

ここがポイント！

ジェスチェ機能を使ってペンツールのまま消しゴムを使う

Goodnotes 6にはペンのジェスチャ機能が搭載された。この機能を有効にすると、ペンツールを使用したままで消しゴムを使うことができる。ペンツールの設定画面にある「ペンのジェスチャ」画面を開き、「こすって消去」を有効にしよう。そして、ペンで消したい部分をこするだけで簡単に消去できる。ただ、「め」「れ」などの平仮名や複雑な漢字を書いたと誤認識される場合もあるので注意。

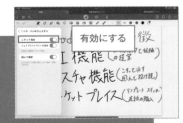

- 有効にする

Apple Pencilのスクリブル機能と使い方は同じで、消したい部分をこすろう。

Goodnotes 6のインターフェース

作成したノートやフォルダを管理しよう

Goodnotes 6を初めて起動したときに表示される画面は「書類」と呼ばれる。ここは作成したノートを管理する画面で、新規ノートの作成、削除、ノート名の変更などが行える。また、フォルダの作成と管理もできるので、ドラッグ＆ドロップでノートやフォルダを自由に移動させて整理を行おう。

作業を行うノート画面のインターフェースは洗練されている。ツールバーに並んでいるアイコンから利用するツールを選択すると有効状態になる。ノートの向きやテンプレートなどの各種設定を変更する場合は、オプションバーを利用しよう。

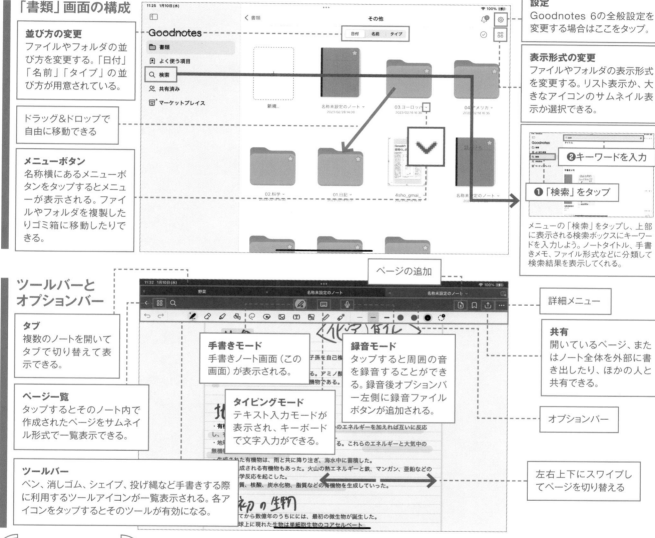

「書類」画面の構成

並び方の変更
ファイルやフォルダの並び方を変更する。「日付」「名前」「タイプ」の並び方が用意されている。

ドラッグ＆ドロップで自由に移動できる

メニューボタン
名称横にあるメニューボタンをタップするとメニューが表示される。ファイルやフォルダを複製したりゴミ箱に移動したりできる。

設定
Goodnotes 6の全般設定を変更する場合はここをタップ。

表示形式の変更
ファイルやフォルダの表示形式を変更する。リスト表示か、大きなアイコンのサムネイル表示か選択できる。

❷キーワードを入力
❶「検索」をタップ

メニューの「検索」をタップし、上部に表示される検索ボックスにキーワードを入力しよう。ノートタイトル、手書きメモ、ファイル形式などに分類して検索結果を表示してくれる。

ツールバーとオプションバー

ページの追加

タブ
複数のノートを開いてタブで切り替えて表示できる。

手書きモード
手書きノート画面（この画面）が表示される。

録音モード
タップすると周囲の音を録音することができる。録音後オプションバー左側に録音ファイルボタンが追加される。

タイピングモード
テキスト入力モードが表示され、キーボードで文字入力ができる。

ページ一覧
タップするとそのノート内で作成されたページをサムネイル形式で一覧表示できる。

ツールバー
ペン、消しゴム、シェイプ、投げ縄など手書きする際に利用するツールアイコンが一覧表示される。各アイコンをタップするとそのツールが有効になる。

詳細メニュー

共有
開いているページ、またはノート全体を外部に書き出したり、ほかの人と共有できる。

オプションバー

左右上下にスワイプしてページを切り替える

ここがポイント！

タイピングモードで効率的にテキスト入力

3

Goodnotes 6には、効率的にテキスト入力できるタイピングモードが用意されており、おもに罫線に従って小さな文字で長文を入力したいときに便利だ。有効にすると、ツールバーがテキスト入力モードに切り替わり、キーボードまたはスクリブルを使用してテキストを入力できる。さらに、見出し、段落、アンダーラインなどが利用可能だ。拡大鏡ツールを使用するよりも効率的にテキストを入力できるだろう。

フォントの大きさは「見出し」から変更することができる。

消しゴムと図形を使いこなそう 基本

ペン以外の基本ツール、消しゴムやシェイプツールを使おう

Goodnotes 6で手書きを行う際、ペンツール以外で最も併用する機会が多いのは消しゴムとシェイプだろう。消しゴムでは、指定した線だけをきれいに消去できる「ストローク消しゴム」機能や、蛍光ペンだけを消去する「蛍光ペンのみ消去」機能などオプション機能が豊富。また、シェイプでは丸や三角などの図形をきれいに描けるほか、図形の内側を自動で塗りつぶす機能などがある。

消しゴムツールを使おう

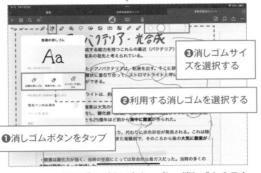

❸消しゴムサイズを選択する

❷利用する消しゴムを選択する

❶消しゴムボタンをタップ

1 消しゴムボタンをタップし、消しゴムのスタイルを選んだら、ツールバー右側からサイズを選択して、消去したい部分をなぞろう。

シェイプできれいな図形を描く

❶シェイプボタンをタップ

❷図形を描くと自動的に変換される

「塗りつぶしのカラー」を有効にすると内部を塗りつぶしてくれる

2 シェイプボタンをタップしたあと、手書きで図形を描くと自動的にきれいな図形に変換してくれる。

投げ縄ツールを使ってみよう 基本

投げ縄ツールでできることをすべて把握しておこう

手書きした内容を消去するのではなく、編集したい場合は、投げ縄ツールを使おう。Apple Pencilで範囲選択した箇所のカラー、サイズを変更したり、ほかの位置やページにカット＆ペーストすることができる。書いた内容をよく編集する人にとって欠かせないツールだ。また、範囲指定した場所を削除できるので消しゴム代わりにもなる。

編集する部分を範囲選択する

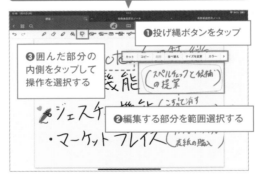

❶投げ縄ボタンをタップ

❸囲んだ部分の内側をタップして操作を選択する

❷編集する部分を範囲選択する

1 投げ縄ボタンをタップして、編集したい部分を範囲選択し、囲んだ内側を一度タップ。するとメニューが表示されるので利用したい操作を選択しよう。

ほかのページに貼りつける

画面を長押しして「ペースト」を選択する

2 「カット」または「コピー」を選択するとクリップボードにコピーされる。ほかのページで画面を長押しするとメニューが表示されるので「ペースト」を選択すると貼り付けることができる。

(ここがポイント!)

ペンジェスチャを使って投げ縄ツールを使う

4 Goodnotes 6の新しいペンジェスチャ機能を利用すると、ペンツールを使用したまま「投げ縄ツール」を使うことができる。具体的な手順は、まずペンツールのメニュー画面で「ペンのジェスチャ」を開き、「囲んで選択」を有効にする。この機能を有効にした後、例えば万年筆やボールペンなどのペンツールを使用して編集したい箇所を囲み、その線を長押しすると、投げ縄ツールが利用できる。

操作は少し戸惑う。ペンツールで囲んだ後、いったん画面からペンを離して、線を長押ししよう。

指のタップでできる操作を覚えよう

「拡大・縮小」「取り消し」「やり直し」などの操作が指でできる

Goodnotes 6では、さまざまなタップ操作が用意されている。1本指でダブルタップで「拡大・縮小」、2本指のダブルタップで「取り消し」が行える。このほかにも、3本指で1度タップすると上部にメニューが表示され「取り消し」「やり直し」などの操作が選択できる。また、Apple Pencil標準で設定されているダブルタップ操作はGoodnotes 6でも適用できる。

Goodnotes 6のタップ操作を知っておこう

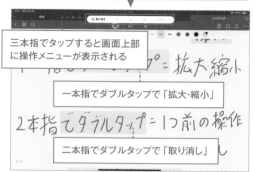

三本指でタップすると画面上部に操作メニューが表示される

一本指でダブルタップで「拡大・縮小」

二本指でダブルタップで「取り消し」

1 指によるタップ操作はApple Pencilを持つ手と反対側の手で行うと効率良く作業できるだろう。

Apple Pencilのダブルタップ操作を確認

2 「設定」アプリの「Apple Pencil」の「ダブルタップ」でApple Pencilのダブルタップ操作が確認できる。この操作はGoodnotes 6でもそのまま適用できる。

ノート内のページを操作する

ページを俯瞰したり並び順を変更しよう

ノート内で作成したページを俯瞰したい場合はオプションバー左上にあるサムネイルボタンをタップしよう。ノート内のページがサムネイル表示される。その状態でノートをタップするとそのページに素早く移動できるほか、ノートを長押ししてドラッグするとページの順番を並べ替えることができる。

サムネイルボタンをタップ

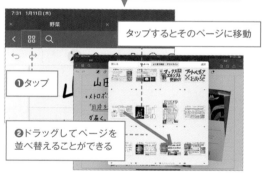

タップするとそのページに移動

❶タップ

❷ドラッグしてページを並べ替えることができる

1 サムネイルボタンをタップするとそのノート内のページが一覧表示される。ドラッグ操作でページを並べ替えることができる。

メニューボタンから操作をする

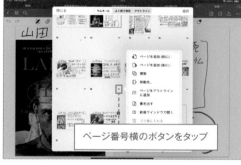

ページ番号横のボタンをタップ

2 ページ番号右にあるボタンをタップするとメニューが表示され、ここからページの複製や書き出し、削除などの操作ができる。

こんな用途が便利！

フォルダのカラーやアイコンをカスタマイズする

5

Goodnotes 6は、書類整理をより効果的に行うために、作成したフォルダのカラーやアイコンを後で自由に変更できる。個々のフォルダに独自の識別色、わかりやすいアイコンを設定すれば、ノート整理が一層スムーズになる。例えば、重要なプロジェクトには目を引く色を、特定のテーマのフォルダはアイコンを変更することで、一目で必要な情報にアクセスしやすくなる。

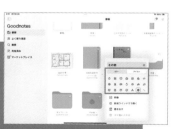

フォルダメニューを開いて、カラーとアイコンを指定しよう。

長文のノートを書きたいときに使えるテクニック

**ズームツールで
小さな文字を
きれいに書く**

1ページに400字以上ある日記や文章を書くノートを作る場合、標準だと字が大きくなりすぎ使いづらい。小さな文字をきれいにノートに書きたい場合は、ズームツールを使おう。有効にすると現れる拡大鏡を入力予定の場所へ移動しよう。その部分が拡大されるので入力欄に直接手書きを行おう。きれいに小さな文字が書けるはずだ。

なお、文字を書きながら拡大鏡を移動させる際は、拡大鏡画面右上にある移動ボタンを使おう。自動で枠が右へ水平移動したり、改行してくれるのでスムーズに書き続けることができる。行頭をそろえたい場合はインデント機能を使おう。タップすると青い縦線が表示され、改行時にその青い縦線にそろえて書けるようにしてくれる。

ズームツールを有効にする

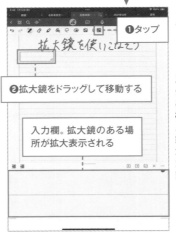

❶タップ

❷拡大鏡をドラッグして移動する

入力欄。拡大鏡のある場所が拡大表示される

ズームツールボタンをタップすると画面下に入力欄が表示され、ノート上に拡大鏡が現れる。拡大鏡を手書き入力する場所へ移動する。

拡大鏡を水平移動させる

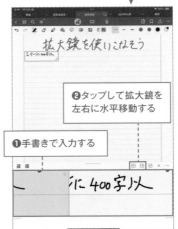

❷タップして拡大鏡を左右に水平移動する

❶手書きで入力する

入力欄に手書きしよう。入力欄がいっぱいになったら拡大鏡を指で直接移動しよう。なお、移動ボタンを使えば水平にスムーズに移動できる。

改行ボタンで改行する

❷拡大鏡が下の行に移動する

❶改行ボタンをタップ

改行するときは、入力欄にある改行ボタンをタップしよう。行間を常に等間隔で改行できるのできれいな文章が作成できる。

インデントで行頭をそろえる

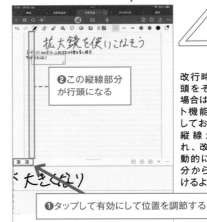

❷この縦線部分が行頭になる

❶タップして有効にして位置を調節する

改行時に常に行頭をそろえたい場合は、インデント機能を有効にしておこう。青い縦線が表示され、改行時に自動的に縦線の部分から文字が書けるようになる。

POINT

罫線や方眼紙の
テンプレートを使おう

長い文章を書く場合はテンプレートを罫線紙や方眼紙にしておこう。行間や字間、字数などを固定できるので、よりきれいなノートが作成できるだろう。

ここがポイント！

写真の好きな色を
ペンに使用する

6

Goodnotes 6では、ページに挿入した写真からペンのカラーとして使いたい色を選択するとインポートして利用できる機能が追加された。方法はペンのカラー設定画面を開き、新しいカラーの追加画面を開く。右上にあるスポイトアイコンをタップするとノート上に丸いアイコンが表示されるので、それを写真の好きな色の上に設置すると、そのカラーを分析してプリセットに追加できる。

❶スポイトアイコンをタップ

❷利用したい色の上を選択する

カラーを指定するとそのカラーの番号も表示してくれる。

テキストツールでロゴを作成する

テキストボックスの スタイルでテキスト周り を装飾する

Goodnotes 6は、手書き入力だけでなくテキスト入力もでき、調整機能も豊富だ。「テキストボックスのスタイル」から、背景のカラー、枠線のカラー、シャドウ、枠線の幅などテキスト周りの装飾設定が細かく行える。画像やほかの要素と組み合わせればロゴ作成ツールとしても利用できるだろう。一度作成したスタイルはプリセットとして保存して、以降再利用することもできる。

テキストを入力、基本の設定をする

1 テキストツールをタップしてテキストを入力する。まずは、フォント、サイズ、段落、カラーなど基本的なテキスト装飾を設定しよう。

テキストボックスをカスタマイズする

2 テキスト周りを装飾する場合は、テキストボックスの設定を変更しよう。メニューの「詳細」から背景のカラー、枠線のカラー、シャドウ、枠線の幅などを細かく調節できる。

仕事やプレゼンに便利なチャートや資料を作成する

図形作成機能や プレゼンモードを 活用しよう

Goodnotes 6では、四角や直線などをきれいに描くことができる機能があり、チャート作成に便利。これにテキスト入力機能や写真挿入機能を組み合わせることで、パワーポイントのような資料を作成することが可能だ。複数のページで構成し、PDF形式で出力すれば立派なプレゼン資料が作成できるだろう。

ほかにプレゼンに役立つ機能も搭載している。

図形を作成する

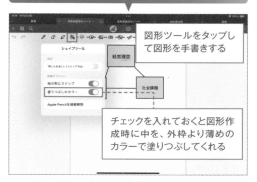

1 チャートや図形を作成するためきれいな線を書きたい場合は、シェイプツールボタンをタップして図形を描こう。「塗りつぶしのカラー」にチェックを入れておくと図形内を自動で塗りつぶしてくれる。

プレゼンモードを利用する

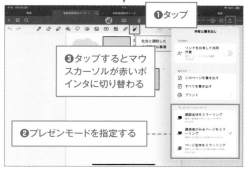

2 オプションメニューの「共有と書き出し」からプレゼンテーションモードを利用できる。なお、iPadをHDMIあるいはAirPlay経由で外部スクリーンに接続する環境を事前に用意しておこう。

こんな用途が便利！

ビジネスで使う チャート図の テンプレを作成しておく

7

ロジックツリーやマトリックスなどビジネスシーンで頻繁に使うチャート図のテンプレートをGoodnotes 6に作成して登録しておけば、ビジネス用のメモノートとして活用できる。こうしたチャート図の作成は、外部からテンプレートを探してダウンロードするのもよいが図形作成機能を使って自作しておくのもよいだろう。上記で紹介した図形作成機能を参考にしてほしい。

投げ縄ツールで図形をコピーする

同じ大きさの図形を複数作成するなら、投げ縄ツールのコピー機能をうまく使おう。

PDFを読み込んで注釈をつける

インポート機能からさまざまなファイルを読み込んで手書きできる

Goodnotes 6は、既存のPDFや画像、Word、PowerPointなどさまざまなファイルを読み込んで表示し、また手書きの注釈をつけることができる。仕事で送られてきた書類に手書きで注釈や指示をつけて返送したいときに役立つだろう。

サムネイル画面から、読み込んだPDFのページを並び替えたり、新しくページを追加することもできる。読み込んだファイルはほかのノートと同じく「書類」画面で管理することができるので、ファイル管理アプリとしても代用できる。

注意点としては、Adobe Acrobat ReaderやPDF Expertといった「PDF注釈アプリ」のように注釈一覧リストが作成できないこと。ドローイング専用と考えよう。

ファイルを読み込む

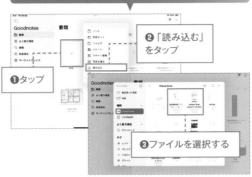

❶タップ
❷「読み込む」をタップ
❸ファイルを選択する

1 書類画面で新規作成ボタンをタップして「読み込む」を選択。ウインドウが開いたらPDFを選択して読み込もう。

ペンツールでドローイングで線を引く

❶タップ
❷「直線で描く」を有効にする

2 PDFを開いたらペンやマーカーで線を引こう。通常のノートと同じようにPDFに手書きできる。マーカーを使う場合は直線がひけるようメニューで「直線で描く」を有効にしておくと便利。

写真を読み込んで注釈をつける

写真アイコンから写真を読み込む

3 PDF内の写真変更の指示を出す場合は変更予定の写真を読み込んで、具体的な指示が出せるのは便利な点だ。

ページの並び順を変更する

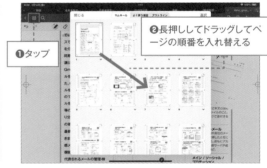

❶タップ
❷長押ししてドラッグしてページの順番を入れ替える

4 左上のサムネイルボタンをタップすると読み込んだPDF内のページが一覧表示され、ノートと同様にページをドラッグで並べ替えたり、削除したり、抽出することができる。

↓ POINT

ノート間の移動もカンタン!

サムネイル画面でメニューから「移動先」を選択すると、直接ほかのノートやフォルダに移動できる。

こんな用途が便利!

8 ウェブページのスクラップ

日々、ブラウザでニュース情報を収集している人は、気になるページを保存するツールとしてGoodnotes 6を使うのも1つの手だ。Safari自体にもリーディングリストやPDFを作成する機能が標準で搭載されているが、保存した記事はバラバラになりがち。Goodnotes 6であらかじめ準備しておいたノートに保存すれば、ページの管理や閲覧が楽になるだろう。

ページのスクロール方向を縦にしておくと閲覧しやすくなる。

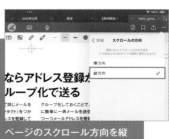

手書き文字をテキスト化する

**投げ縄ツールを使って
テキスト化しよう**

Goodnotes 6では、ノートに手書きした文字をテキストに変換することができる。テキスト化することでほかのメールやメッセージなどテキスト入力を行うアプリに内容をコピーすることが可能になる。なお、以前は変換したテキストを手書き文字と置換できなかったが、Goodnotes 6では置換に対応してさらに使いやすくなっている。

投げ縄ツールで囲い込む

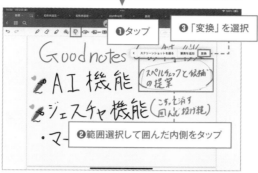

❶タップ

❸「変換」を選択

❷範囲選択して囲んだ内側をタップ

1 投げ縄ツールを有効にして対象となる部分を範囲選択し、画面を一度タップすると表示されるメニューで「変換」→「テキスト」を選択する。

テキスト化して置換、共有する

置換する場合はこっちをタップ

コピーする場合はこっちをタップ

2 テキスト変換ボックスが表示され手書き文字が変換される。右上の「変換」で置換、左下の「テキストをコピー」でコピーできる。

ウェブページをPDF化してメモを取る

**ブラウザの
共有メニューから
簡単にPDF化できる**

Goodnotes 6はブラウザと連携しており、SafariやChromeで開いているページをGoodnotes 6に取り込むことができる。あとで資料になりそうなウェブページを見つけたら保存しておくといいだろう。PDF形式で保存され、複数のページに自動的に分割される。現在開いているノート内に追加できるほか、新規ノートとして保存することもできる。

共有メニューから保存する

❶共有メニューをタップ

❷「GoodNotesで開く」をタップ

1 保存したいページをブラウザで開き、共有メニューから「GoodNotesで開く」をタップ。現在のノートに取り込むか、新規ノートとして取り込むか選択しよう。

分割されて保存される

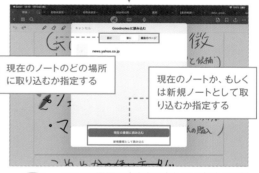

現在のノートのどの場所に取り込むか指定する

現在のノートか、もしくは新規ノートとして取り込むか指定する

2 iPadの画面の大きさに合わせて自動で分割され保存される。もちろん保存したあとに手書きで注釈をつけることが可能だ。

こんな用途が便利！

**説明書や契約書など
紙の書類のスクラップ**

9

Goodnotes 6は書類スキャン機能も搭載しており、紙の書類をスキャンしてノート内に保存できる。トリミング機能やカラー調整などレタッチ機能も豊富で家電の説明書や契約書、地域のゴミの分別書や収集日などをスキャンしておけば、ペーパーレスにもなり、どこの棚にどの書類をしまったか忘れてしまうこともない。いつでも素早くiPadから目的の書類を取り出すことができるだろう。

ゴミカレンダーからごみの収集日をカレンダーアプリに書き込むより、ゴミカレンダーをそのまま取り込もう。

テンプレートの種類を追加しよう

外部テンプレートをダウンロードしよう

Goodnotes 6は標準で多数のテンプレートが用意されているが、オリジナルのテンプレートを追加することもできる。ノートの表紙や用紙を自分好みにカスタマイズしよう。

テンプレートの追加は、「書類」画面の設定メニューにある「ノートのテンプレート」から行う。まずグループ名を作成し、作成したグループ名の下にオリジナルのテンプレートを追加していくという流れになる。

追加するテンプレートは事前に画像形式、もしくはPDF形式で用意しておこう。自分で一から作成するのもよいが、ウェブ上にはデザイン性や利便性に優れたテンプレートを無料で配布しているサイトがいくつもあるので、ダウンロードしたほうが効率がよいだろう。ここではおすすめのテンプレートも紹介していこう。

書類画面の設定メニューを開く

❶タップ
❷「ノートのテンプレート」を選択
❸追加ボタンをタップ
❹グループ名を設定する

1 書類画面右上にある設定ボタンをタップして「ノートのテンプレートを管理」をタップする。「新規グループを作成」をタップしてグループ名を設定しよう。

テンプレートを登録する

❶タップしてファイル形式を選択する
❷テンプレートが読み込まれる

2 作成したグループ名下の「読み込む」をタップして、用意しているテンプレートを読みこもう。PDF形式の場合は「ファイルから」を選択する。

絶対便利なテンプレート3選!

● 2024年GoodNotesカレンダーテンプレート

作者:Saya
https://choa-design.jp/download/goodnotes_template2024/

手書きのカレンダーをGoodnotes 6で管理したい人におすすめ。抜群に使いやすい年、月、週などさまざまな表示形式の2024年用の月間予定表のテンプレートが無料でダウンロードできる。

● リンク付きデジタルノート

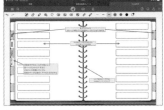

作者:さくらんぼねこ
https://sakuranboneko.booth.pm/items/1254265

リンクがついたデジタルノート。目的のページへジャンプするインデックスタブとインデックスページへジャンプするリンク機能が搭載。

● レシピノート|GoodNotes

作者:はるびー
https://harupyade.com/resipe-template/

料理のレシピを記録するのに便利なテンプレート。材料を書いたり、できあがった料理の写真を添付できる。手書きやテキストで具体的な作り方を書けるスペースもあり。

POINT

共有メニューからテンプレートを読み込む

ノート内の1ページだけ外部テンプレートを利用したいなら、iPad上でテンプレートファイルを開いたあと、共有メニューの「Goodnotesで開く」を選択すればよい。

こんな用途が便利!

手書きのPOP広告を作成してプリントアウトする

10

Goodnotes 6にはステッカー機能が存在している。これは、いわゆる装飾や強調に便利なスタンプツールで、オリジナルの画像を登録することもできる。ステッカーと手書きを組み合わせることで、店舗運営には欠かせないインパクトある手書きのPOP広告やチラシが簡単に作成できる。

❶ステッカーアイコンをタップ
❷種類を選択する

作成した手書き広告は、共有と書き出しの「プリント」から素早く印刷できる。

既存のテンプレートを少し改良して使いやすくする

シェイプツールの直線機能を使って線を増やす

外部から好みのテンプレートを探すほか、Goodnotes 6にもともと用意されているテンプレートを少し改良して使いやすくする方法もある。たとえば、シェイプツール機能を使って罫線紙に縦線や横線を追加しよう。作成後、共有メニューからそのページをPDFとして出力したあと、オリジナルでテンプレートとして登録しよう。

シェイプツールで直線を引く

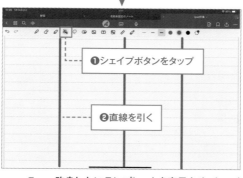

❶シェイプボタンをタップ

❷直線を引く

1 改良したいテンプレートを表示させ、シェイプボタンをタップ。直線を引いて自分の使いやすいようにカスタマイズしよう。

PDF形式で書き出す

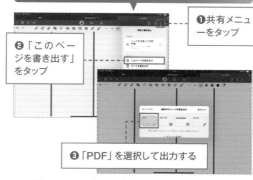

❶共有メニューをタップ

❷「このページを書き出す」をタップ

❸「PDF」を選択して出力する

2 テンプレートを作成したら、共有メニューをタップして「このページを書き出す」でPDF形式で出力しよう。

Goodnotes 6には録音モードもある

ミーティングの議事録や講義などを録音するのに便利

Goodnotes 6には、音声録音モードがある。アプリ上部メニューにあるマイクのアイコンをタップするだけで録音できる。録音後に左側に表示される再生アイコンをタップすると録音した音声を再生したり、削除できる。また、再生時に時間にあわせて描画を再現してくれる。

マイクアイコンをタップして録音する

❶タップして録音開始

❷もう一度タップすると録音終了

1 画面左上にあるマイクアイコンをタップすると録音ボタンが変化して録音が始まる。もう一度アイコンをタップすると録音が終了する。

録音したファイルを再生する

❶波形アイコンをタップ

❷タップして再生

❸タップすると録音したファイルが表示される

2 録音したファイルを再生するには、波形のアイコンをタップする。プレイヤーが表示されるので再生しよう。

POINT

再生プレーヤーの上の白い点は何?

再生プレーヤーの上につく白い点は録音の分割点だ。シークバーを白い点に移動すれば、素早く次の録音場所の頭出しができる。

Notabiltyの録音機能との違いは?

Notabilityにも録音機能があるが、両者には手書きメモの再現時に大きな違いがある。Notabilityでは線の入力時のスピードや軌跡まで細かく再現してくれるが、Goodnotes 6はそこまでは対応していない。文字を書く場合は問題ないが、軌跡の再現が知りたいイラストを描く場合は、注意が必要だ。

Notabilityでは再生時間にあわせて線の軌跡が表示されていく。

Goodnotes 6は、線の軌跡は再現されず線を一筆で書き終えた部分ごとに再現されていく。

使いたいノートをすぐに発見できるようにするには？

アウトラインや
よく使う項目を利用する

　手書きノートを取る際に、あとで目的のページを素早く探して開きたい場合は、ページごとにアウトラインを設定するのがおすすめだ。アウトラインは目次のようなもので、ページごとに好きな名前をつけることができる。アウトライン設定すると、サムネイル画面でページ数横にアウトライン名が表示され、ページ内容がわかりやすくなる。また「アウトライン」タブを開くと、作成したアウトラインが一覧表示され、タップすると瞬時にそのページを開くことができる。

　Goodnotes 6上で繰り返し閲覧するページは、「よく使う項目」に登録しておくと便利。書類画面の「よく使う項目」から、登録したページを簡単に開くことができる。

詳細からアウトラインを追加する

1 アウトラインをつけたいページを開き、右上の詳細アイコンをタップして「このページをアウトラインに追加」をタップして、名前をつけよう。

サムネイル画面を開く

2 サムネイル画面を開き「アウトライン」タブを開くと作成したアウトラインが一覧表示される。タップするとそのページを開くことができる。

「よく使う項目」に追加する

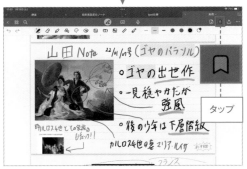

3 「よく使う項目」に追加するには、右上の「よく使う項目」アイコンをタップ。

「よく使う項目」に追加する

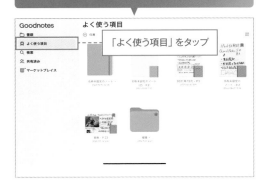

4 書類画面に戻り、メニューから「よく使う項目」を開こう。登録したページが一覧表示され、タップするとそのページを開くことができる。

POINT

既存のPDFを読み込むと
アウトラインが反映される

サムネイル画面右端にある「フィルタ」から既存のPDFのアウトラインと自分で作成したアウトラインの表示をフィルタリングして表示させることができる。

ここがポイント！

Goodnotes 6の検索では
画像にある文字も
検索できる

11

　Goodnotes 6は検索機能を搭載しており、キーワード入力でノートやPDFから横断検索することができ、またPDFやアウトラインなど種類別に分類して検索結果を表示してくれる。有料版であれば、手書きの文字も検索対象に含めることもできる。検索は「書類」画面のメニューから行える。また、特定のノート内から検索したい場合は、ノート画面左上にある検索からキーワードを入力しよう。

手書きの文字は「手書きメモ」、テキストは「タイプしたメモ」として分類して結果を表示してくれる。

ショートカットからクイックノートを開けば快適!

**作成したクイックノートを
ショートカットで
開けるようにする**

メモを取る際、特に利用する
ノートが決まっていない場合は
クイックノートに書き留めよ
う。クイックノートは一時的な
メモを取るのに便利なノート
で、書類画面から追加ボタンを
ダブルタップするだけで立ち上
がる。カバーやノート名の設定
など、ノート作成時に必要な設
定をスキップしてメモを作成
し、後で指定したノートに分類
することができる。

また、iPad標準の「ショート
カット」アプリと組み合わせる
ことで、ホーム画面に作成した
Goodnotes 6用のウィジェッ
トからタップ1回でクイックノ
ートを開けるようにできる。こ
れらを併用することで、より効
率的にノートを取ることができ
る。

クイックノートを起動する

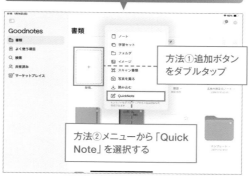

方法①追加ボタン
をダブルタップ

方法②メニューから「Quick
Note」を選択する

1 クイックノートを起動するには、書類画面の
追加ボタンをダブルタップするか、タップし
てメニューから「QuickNote」を選択しよ
う。

クイックノートが起動する

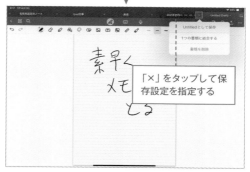

「×」をタップして保
存設定を指定する

2 ノート設定や名称設定をスキップしてノート
が開き、素早くメモを書き留めることができ
る。タブの削除ボタンをタップすると、メモを
保存するか、ほかのノートに結合するか選択
できる。

ショートカットアプリで
QuickNoteを作成する

「QuickNoteを作成」を
ショートカットに追加する

3 Goodnotes 6はショートカットアプリに対
応しており、「QuickNoteを作成」というメ
ニューがある。これをまずショートカットに追
加しておこう。

ウィジェット追加画面から
ホーム画面に追加する

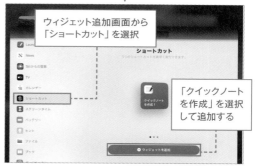

ウィジェット追加画面から
「ショートカット」を選択

「クイックノート
を作成」を選択
して追加する

4 次にウィジェット追加画面を開き、「ショート
カット」を選択する。作成しておいたクイック
ノートを作成するメニューを選択すればホー
ム画面から素早くクイックノートが作成でき
るようになる。

POINT

**クイックノートに
名前を付けよう**

クイックノート起動時は「Untitled（Draft）」というタイトルがつけられるが、閉じるときに名称を
指定することができる。

ここがポイント!

**特定のフォルダや
特定のノートも
ショートカットに登録できる**

12

Goodnotes 6とショート
カットの連携性は高く、クイ
ックノートだけでなく、標準
で多数のショートカットが用
意されている。普段よく使う
特定のノートがある場合は、

そのノートをショートカット
に登録しよう。さらに、ノー
トだけでなくフォルダもショ
ートカットに登録可能だ。

もし、ショートカットアプ
リのGoodnotes 6の項目に

対象のノート名が見つからな
い場合は、Goodnotes 6で
登録したいノートを開いた状
態にして、再度ショートカッ
トアプリを起動すれば表示さ
れる。

ノートをページの端までキッチリと書くには？

上級技!!

縦スクロールにすることでノートの隅に書きやすくなる

　Goodnotes 6を使用してノートの隅にメモをとる場合、手首がiPadの外にはみ出て安定感が悪く、書きづらいことがある。ノートの隅に手書きメモをとる場合は、縦スクロールに設定を変更して、現在使っている用紙より横幅の広いページを一枚挿入してみよう。画面を縮小すると横幅の広いページ分の余白が現れ、画面中央でメモを取りやすくなる。また、縦スクロールに変更すると1画面に2ページをまたいで開くことができるので、前後のページの情報が見やすくなる。

　ほかの方法としてSplit Viewで画面を分割し、左側にGoodnotes 6を表示させれば右側に手を乗せるスペースができるだろう。

縦スクロールに変更する

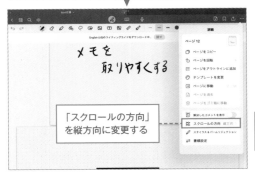

「スクロールの方向」を縦方向に変更する

1 スクロール方向を変更するには、右上の詳細アイコンをタップして「スクロールの方向」をタップして、縦方向に設定しよう。

横幅のページを挿入してページ間に移動する

❷隙間ができる

❶横幅のページを追加する

2 デフォルトのページより横幅のページを一枚追加してみよう。デフォルトのページ横に空白ができ、ノートが書きやすくなる。

隣り合うページの端を同時に表示できる

ページ間を画面の中央に固定することができる

3 横スクロールの場合、画面に1ページしか表示できないが、縦スクロールだとページ間で固定して、2ページを同時に表示できる。

Split Viewを使って手首を固定する手も

❶Split Viewを起動する

❷画面左にGoodnotes 6が配置される

4 Split ViewでiPadの画面を分割し、左側にGoodnotes 6を表示させる。すると画面中央にノートの端がくるので、iPad上に手が置ける。

POINT

Split Viewを使う際のポイント

iPadを横持ちでSplit Viewで分割して使う場合は、分割比はGoodnotes 6（比率7）：ほかのアプリ（比率3）にするぐらいだとちょうどよい。

ここがポイント！

インターフェースをカスタマイズして使いやすくする

13

　Goodnotes 6は、ノート周囲にあるボタンやツールバーの位置をカスタマイズすることができる。画面上部にあるツールバーを画面下部に配置したり、ツールバー左にある取消しとやり取りボタンを右側に

変更することができる。また、ステータスバーを非表示にすることで少し画面が広く使えるようになる。さらに広く画面を使いたい場合は、プレゼンモードと外部ディスプレイをうまく活用するといいだろう。

❶詳細アイコンをタップ

❷書類編集画面を開き「ステータスバー」をオフにする

右上の詳細アイコンをタップして「書類編集」を開く。「ステータスバー」をオフにするとiPadのステータスバーが非表示になる。

フォルダ名の最初の文字は半角数字にしよう！ 上級技!!

重要なフォルダを常に一番上に固定表示させる

書類画面でよく使うフォルダを常に先頭に表示させたい場合は、フォルダ名の最初の文字に「01.〇〇」「02.〇〇」のように半角数字を付けて、並び方から「名前」を選択しよう。すると、小さな数字の順から上に並ぶようになる。重要なフォルダやよく使うフォルダに小さな数字をつけておくことで、常に需要なノートに目が届くようになる。ピン留め代わりに利用するといいだろう。

フォルダの名称を変更する

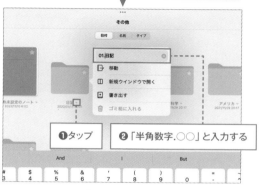

❶タップ
❷「半角数字.〇〇」と入力する

1 フォルダの名称を変更するには、名称横のプルダウンメニューをタップし、一番上の入力欄に「01.〇〇」という風に変更しよう。

リスト表示に変更する

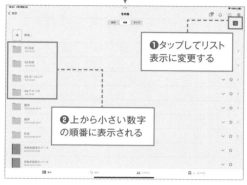

❶タップしてリスト表示に変更する
❷上から小さい数字の順番に表示される

2 名称変更後、リスト表示に変更すると上から順番に数字の小さい名称のフォルダが表示され、重要なフォルダにアクセスしやすくなる。

注目のAI機能①：スペルチェック機能を使おう

つづりに間違いがあるとアンダーラインが引かれる

Goodnotes 6ではバージョンアップにともない、さまざまなAI機能が追加されている。手書きした文字の内容にスペルミスがある場合、自動で点線が引かれ、その部分をタップすると候補の文字が表示される。候補の文字の中から、本来書きたかった正しいスペルの文字を選ぶと、自動的に文字が修正される。ただしこの機能は現在日本語には対応していない。

スペルチェック機能を有効にする

❶タップ
❷「ライティングエイド」から言語を指定する

1 スペルチェック機能を有効にするには、ペンツールの設定画面を開き「ライティングエイド」から言語を選択して、スペルチェック機能を有効にしておく。

候補から文字を選ぶ

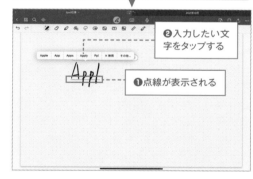

❷入力したい文字をタップする
❶点線が表示される

2 スペルチェック機能を有効にしたあと、手書き文字を書いてみよう。スペルミスがあると候補文字が表示されるので、入力したい文字をタップしよう。

AI機能②：書いているときに入力候補を表示する

Goodnotes 6のスペルチェック機能は、単に誤った文字の綴りを書いた場合だけでなく、文字を書いている途中でも作動する。入力しようとする文字に対する候補が即座に表示され、使いこなすことで素早い文字入力が可能となる。設定はスペルチェック機能の利用時と同じで、ペンツールの設定画面から「ライティングエイド」を開き、利用する言語を指定し、「入力候補を表示」を有効にしよう。

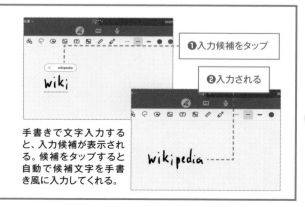

❶入力候補をタップ
❷入力される

手書きで文字入力すると、入力候補が表示される。候補をタップすると自動で候補文字を手書き風に入力してくれる。

AI機能③：手書きの数式をテキスト化する 上級技!!

変換後に編集したり コピーができる

Goodnotes 6では手書きした数式を自動でテキスト形式に変換することができる。整頓された綺麗な形に変換されるだけでなく、テキストとして内容を編集したり、コピーしたりすることも可能だ。キーボードで数式記号の入力方法がわからない場合でも、変換機能を利用することで簡単に入力が行える。たとえば、ルートや積分などの特殊な数式を入力したいときに便利だ。

投げ縄ツールで囲い込んで「変換」を選択

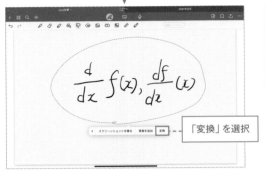

「変換」を選択

1 テキスト化したい手書きの数式を投げ縄ツールで囲い込んで「変換」を選択しよう。

「数式」を選択してテキスト化する

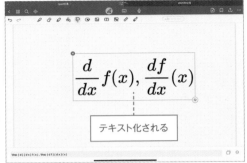

テキスト化される

2 続いて表示されるメニューで「数式」を選択するとテキスト化してくれる。テキスト化された数式は、移動したり、サイズを調整することが可能だ。

Goodnotes 6の料金体制

複雑な料金体系に 注意しよう

Goodnotes 6には無料版と有料版がある。無料版では最大で3つのノートブックを作成でき、ノート1冊につき音声録音が20分までなど、機能が制限されている。また、有料版には年額1,350円のサブスクリプション契約か、4,080円の一括購入の2つの料金形態が存在し、さらに7日間の無料トライアルプランというのもある。無料版とトライアルプランは異なるので、注意が必要だ。また、GoodNotes 5を既に購入しているユーザーは、Goodnotes 6の有料版を利用する際に一定の割引が適用されるが購入時期によって割引額が異なる。

無料版と無料トライアル版の違い

● **無料版**
◆ ノートブックは3冊まで。
◆ ノート1冊につき、音声録音は20分まで。
◆ テンプレートのファイルサイズは5MBまで。
◆ AIタイプ入力は利用できない。
◆ エクスポートされた文書には透かしが入る。

● **無料トライアル版**
◆ 7日間有料版の機能をフル活用。
◆ トライアル終了後は有料版を使用するか、GoodNotes 5を使用していたならダウングレードできる。

有料版の料金体系

● **サブスクリプション契約：年額1,350円**
◆ 2023年以前に購入した人は25%オフ。
◆ 2023年1月1日〜6月30日に購入した人は、50%オフ。
◆ 2023年7月1日〜8月8日に購入した人は、100%オフで1年間無料で利用できる。

● **一括購入：4,080円**
◆ 2023年以前に購入した人は20%オフ
◆ 2023年1月1日〜6月30日に購入した人は、26.6%オフ
◆ 2023年7月1日〜8月8日に購入した人は、33.3%オフ

ここがポイント！

手書きの数式も 残すことができる

14

数式をテキスト化して置換されると、元の手書きの数式が消えてしまう。元の手書きの数式を残したい場合は、数式をタップして表示されるメニューから「編集」を選択しよう。画面右端に表示されるメニューボタンをタップすると元の手書きの数式が表示されるので「手書きをコピー」をタップして、別の場所にペーストして保存しよう。

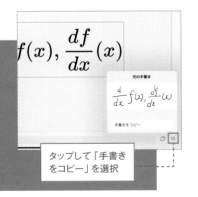

タップして「手書きをコピー」を選択

GoodNotes 5ユーザーはアップデートすべき!?

あとでGoodNotes 5にダウングレードできる

GoodNotes 5を利用しているユーザーがGoodnotes 6にアップデートすると、GoodNotes 5が使用できなくなる。第6版は第5版よりも機能が向上しているが、第5版を使い込んで慣れ親しんでいるユーザーも多い。過去にGoodNotes 5を有料で購入しているなら、ダウングレードすることが可能だ。方法は書類画面の設定画面にある「ダウングレード」画面から行う。なお、ダウングレード後に再び第6版にアップデートでき、1度購入していれば、二重に請求されることはない。

設定画面からダウングレードする

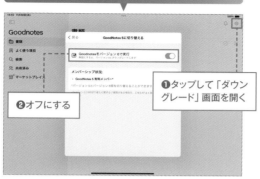

❶タップして「ダウングレード」画面を開く

❷オフにする

1　書類画面右上の設定ボタンをタップして「ダウングレード」画面を開く。「Goodnotesをバージョン6で実行」をオフにすると、GoodNotes 5に変更できる。

GoodNotes 5に戻る

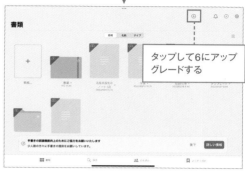

タップして6にアップグレードする

2　アプリが自動的に再起動し、GoodNotes 5に戻る。再び6にアップグレードしたくなった場合は、書類画面右上の「6」をタップしてアップグレードしよう。

ほかの手書きノートアプリとどう違う？ ── 類似 アプリ

初心者なら絶対におすすめ ベテランなら使い分けよう

ほぼ完璧な手書きノートといってよいGoodnotes 6だが、80ページで紹介するNoteshelfほどにはキメ細かいノートを作れないこと、また82ページで紹介するNotabilityほどには録音機能や縦書きスクロール設定が優れていないことなど、類似アプリに劣る部分もある。それなりに手書きノートを使いこなしているユーザーなら、重視する機能が優れた他のノートアプリと使い分けるのもよいが、初めて使うユーザーであれば、総合的に優れたGoodnotes 6がおすすめだ。ただし、Goodnotes 6の日本語版はAI機能が未完成で、現在のところ使い勝手は微妙で、980円だったGoodnotes 5と比べコスパは低下している。すでに旧版を購入しているユーザーなら完全にアップデートが完了するまでGoodnotes 5を使い続けるのもいいだろう。

 まとめ　優れたノート管理能力となんでもそろった多機能性

数ある手書きノートアプリの中でも、Goodnotes 6が人気なのは、多機能でありながらも、わかりやすく、使い心地のいいインターフェースを備えていることだろう。初めてノートアプリを使う人でも迷うことなく使えるほか、さまざまなノートアプリを使いこなしてきた上級者からも評価の高い機能を多数備えている。

作成したノートの管理能力は、Goodnotes 6がほかのノートアプリと一線を画する機能の1つだ。パソコンライクなフォルダを作成できるほか、フォルダ内にはサブフォルダを無制限に作成することができ、ノートの数が増えたら内容別に細かくフォルダ分類することができる。検索機能も優秀で、汚い走り書きの手書き文字でもきちんと検索結果に反映される。また、タイプ入力したテキストやPDF上のテキスト、アウトラインなども検索対象にすることが可能だ。

また、バージョンアップの頻度が高く、常に操作性が改善され、ユーザーの希望に沿った新しい機能が追加される点も魅力。最新版では、AI機能が搭載され、手書きした文字に間違いがある場合は指摘されるなど、効率的に文字入力ができるようになった。運営のサポート能力の高さも安心しておすすめできる理由の1つだ。

タイプ入力モードで範囲選択したテキストを自動で編集することもできる。

iPadのキーボードを考える!

Apple純正 キーボードなら どちらを選ぶ!?

iPadをある程度の期間使っていると、外付けのキーボードが気になってくる人は多いだろう。iPadにぴったりと合ったサイズでデザインも優れたキーボードは魅力大だ。キーボードをつけて持ち運べばMacBookのようにも使える。iPadのキーボードは、Apple純正のもの、サードパーティからの製品などいろいろあり、それぞれに特徴があるが、ここではApple純正のキーボードに絞って紹介していこう。

価格も高く、重量も重いが、品質が非常に優れた「Magic Keyboard」

Apple純正のMagic Keyboardは、トラックパッドがついていることが最大の特徴だ。画面上のポインターをスムーズに操作できるので、iPadの画面に触らずにほとんどの操作を行うことができる。トラックパッドの精度も純正だけあって、MacBookのトラックパッドのように、非常にスムーズに敏感、正確なタッチで快適に使える。パッド部分の面積はMacBookに比べるとやや狭いが、操作性はとても良好だ。ただし通常の操作には問題ないが、ファイルのドラッグの際などは厳しい場合もあり、ときには画面をさわる必要もある。

キーボード部分は、キーストロークはやや浅いものの、打鍵感も心地よく（シザー構造）、しっかりと気持ちよくタイピングが可能だ。普段はMacBookを使っている人でも、このMagic Keyboardならさほど違和感がなく、すぐに慣れるだろう。

Magic Keyboardには、2種類のサイズがある。12.9インチと11インチ（10.9インチも含む）だ。12.9インチならば、横幅が29.2cmあるので、13インチのMacBookなどとほぼ同じ大きさだが、問題は11インチの機種だ。25.86cm

なので、4～5cmほど狭くなり、タイピング時にはそこそこの窮屈感がある。また、11インチモデルと12.9インチモデルのトラックパッド部分のサイズは同じとなっている。

サイズの違いは、入力の際の操作性以外に運搬時の重さにも影響してくる。11インチならば、iPad Proとキーボードを合わせた重さが1,06kgだが、12.9インチになると、1,39kgとなり、13インチのMacBook Air（1.24kg）を上回る重さとなってしまう。

あとは、細かいことだが、側面のUSB-Cポートでパススルー充電もでき、その場合の本体側のポートには外付けSSDなどの外部アクセサリも接続できるので、バッテリーの不安もなくアクセサリを使うことができる点も挙げておこう。

MacBookのトラックパッドと同様に「タップでクリック」も可能なので、パッド面を強く押す必要はなく、軽いタッチで操作が可能だ。

周囲が暗くなったらバックライトを自動でつけることもできる。バックライトの明るさは環境光で自動調整され、オフにすることもできる。

← **29.2**cm →

Magic Keyboard 12.9インチ
対応機種:12.9インチiPad Pro（第3世代以降）
価格:53,800円（税込）

← **25.86**cm →

Magic Keyboard 11インチ
対応機種:iPad Air（第4世代以降）、11インチiPad Pro
価格:44,800円（税込）

※ここで紹介している製品のほかに、Apple純正キーボードとしては、対応機種が無印iPad（第10世代）の「Magic Keyboard Folio」（38,800円）、対応機種が10.5インチiPad Pro、iPad Air（第3世代）、無印iPad（第7～9世代）の「Smart Keyboard」（24,800円）が存在している。

軽い素材で、気楽に毎日持ち運べる「Smart Keyboard Folio」

Apple純正のもうひとつのキーボードが、Smart Keyboard Folioだ。手触りのいいファブリック素材で作られており、トラックパッド機能はないものの、非常に軽量で持ち運びしやすいところが最大のポイントだ。スマートカバーとの重さの違いもさほど気にならないので「キーボードをつけている」という意識もなく、普段からケースとしてつけっぱなし……という人もいるだろう。

キーボードのタッチは、MacBookのキーボードやMagic Keyboardとはまったく異なり、柔らかく収縮性のある素材を押す感じになる（クリック感はある）。爪が長かったりするとキーが押しにくくなり、ファブリック部分に引っかかる感じになったり、キーボード面にごく小さい白い跡のようなものが残る場合もある。当然のように高速でタイピングするのは非常に難しいが、慣れてくるとそれなりに速いタイピングも可能になってくる（メンブレン構造）。打鍵音は「コトコト」といった感じでかなり静かであり、新幹線などの利用でも周囲に遠慮する必要はない。こちらのキーボードの場合も、12.9インチの方が圧倒的に入力はしやすい。

軽く設置できるので、反対向きにして、Apple Pencilを使うこともできる。Magic Keyboardはこの形にすると、ズルズルとiPad面が下がってしまう。

全面がファブリック素材で覆われた構造なので、隙間にゴミが入らず、お菓子や飲み物をこぼしても、拭いてしまえば問題ない。

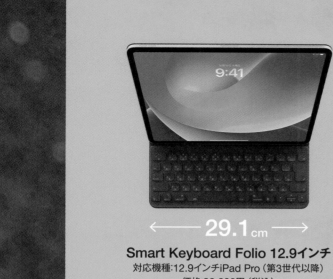

Smart Keyboard Folio 12.9インチ
対応機種:12.9インチiPad Pro（第3世代以降）
価格:32,800円（税込）

← 29.1cm →

Smart Keyboard Folio 11インチ
対応機種:iPad Air（第4世代以降）、11インチiPad Pro
価格:27,800円（税込）

← 25.7cm →

結局、どちらを
選ぶべきなのか!?

　Magic KeyboardとSmart Keyboardの共通の特徴として、マグネットでiPadとすぐに一体化でき、iPad背面のSmart Connectorで接続できるので、Bluetoothなどの接続も不要という大きなメリットがある。Apple以外の他社製のキーボードにも魅力的な製品は多いが、このSmart Connectorで接続できる機能は純正品以外には存在しない。

　あまりApple Pencilを使う頻度が高くなく、MacBookのようにキーボード入力を中心に使いたい人なら、多少の重さには目をつぶってMagic Keyboardを選ぶのがいいだろう。日々持ち歩く必要があり、Apple Pencilを使う機会の多い人、またMacBook以上の重い重量には耐えられない、という人はSmart Keyboard Folioがいいのではないだろうか。

話題の二大AIサービスを徹底比較!

ChatGPTとCopilotなら どっちが便利なの?

AIサービスの新時代 CopilotとChatGPTの 詳細な比較

AIサービスは、役立つ情報の取得だけでなく、創造性や意思決定をサポートすることで、従来のウェブ技術とは違っている。

しかし、さまざまなAIサービスが登場している中、それぞれのツールが持つ特性や提供する利点、制約を把握することは難しい。この記事では、特に評価が高いChatGPTとCopilotという2つのAIサービスに焦点を当て、それぞれの機能、利用シナリオ、性能について詳細に比較分析をする。

ChatGPTはその卓越した文章生成能力が際立っている。高度な自然言語理解能力により、流暢で自然な文章を作成してくれる。また、Copilotは検索エンジンと最先端の生成AIを組み合わせた革新的なサービスだ。このサービスは、回答に信頼できる最新の情報を取り入れる能力に優れている。

この記事では、これらのAIサービスがいかにして異なるニーズに対応し、さまざまな状況で最適なパフォーマンスを提供できるか詳しく探求する。ChatGPTとCopilotのユニークな特性を理解し、自分の要求に最適なサービスを選択するためのガイドにしていただきたい。

Open AIの元祖 AI生成サービス

✓ **ChatGPT (3.5)**

作者/Open AI
価格/無料
URL/https://chat.openai.com/

ChatGPTは無料版 (3.5) と有料版 (4.0) がある。この記事では無料版を中心に解説する。

マイクロソフトの AI生成サービス

✓ **Copilot (無料版)**

作者/マイクロソフト
価格/無料
URL/https://copilot.microsoft.com/

Copilotは無料版と有料版のCopilot Proがある。この記事では無料版を中心に解説する。

ChatGPT (3.5) とCopilot (無料版) の機能比較一覧

	ChatGPT	Copilot
言語処理モデル	GPT3.5	GPT4.0
入力文字数	4096	2000
文章生成	○	○
言語の翻訳	○	○
表作成	○	○
画像生成	×	○
音楽作成	×	○
情報ソースの提示	×	○
情報の鮮度	× (2022年1月以前)	○ (リアルタイム)
有料版の価格	20ドル/月	3,200円/月

機能を比較すると、Copilotは無料ながら、ChatGPTの有料版言語モデル「GPT4.0」を利用できたり、さらに画像生成、音楽作成、情報の鮮度などあらゆる点でChatGPTより勝っているように見える。しかし、実際に両者を使用してみると印象とは違った結果も現れる。

ChatGPTを使ってみよう

ChatGPT（Web版）に サインインしよう

　ChatGPTを利用するためには、ブラウザで公式サイトにアクセスしよう。無料で利用できるものの、必ずOpen AIのアカウントを取得してログインをする必要がある。アカウントの取得方法は、メールアドレスを使用した登録だけでなく、既存のGoogleアカウント、Appleアカウント、またはマイクロソフトアカウントを使用することもできる。

OpenAIのアカウントを取得しよう

「Sign up」をタップ

メールアドレスを登録する場合はこちら

既存のサービスのアカウントを利用する場合はこちら

1 ブラウザでChatGPTのサイトにアクセスしたら、「Sigh up」をタップする。アカウント作成画面が表示されるので、メールアドレスを登録するか、既に利用しているサービスのアカウントを登録しよう。

ChatGPTのメイン画面

質問内容を入力する

2 アカウント作成が完了するとChatGPTのメイン画面が表示される。中央にある入力フォームに質問内容を入力して送信すると回答してくれる。

ChatGPTで文章を作成しよう 基本

ユーザーの ニーズに合わせて 細かな編集ができる

　ChatGPTは、文章作成において非常に強力なツールとなる点が、調べるだけの検索サービスとの大きな違いだ。簡単な指示を出すだけで、瞬時にブログ記事、レポート、小説、詩、ビジネスプレゼンテーションなど、さまざまな文書を簡単に生成してくれる。また、文章のスタイルやトーンをカスタマイズすることも可能で、ユーザーのニーズに合わせた内容に細かく編集することが可能だ。

キーワードを入力して 文章を作成する

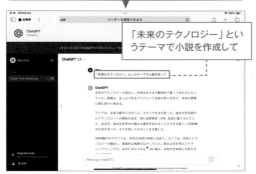

「未来のテクノロジー」というテーマで小説を作成して

1 ChatGPTで文章を作成するには、「○○」というキーワードやテーマで文章を作成してほしいと入力しよう。すると自動的に文章を作成してくれる。

メールのテンプレートを 作成する

「遅刻したときに上司に詫びるメール文を作成して」

2 テンプレート的な文章を作成するにも有効だ。メール文章を作成する場合は、「○○の状態のとき」のメール文を作成してほしいと入力しよう。

こんな用途が便利！

会議の議事録を 要約してもらおう

1

　会議の議事録を手早く要約したいときにChatGPTは役立つ。長い会話文の文章を入力するだけで内容を分析して要約してくれる。重要な点を即座に抽出し、決定事項や議論の核心、次のステップを明確に提示してくれる。また、繰り返されるテーマの識別や感情分析も行ってくれ、議論の全体的なトーンを整えてくれる。時間を節約しつつ、人間以上に会議の要点を逃さずに把握できるだろう。

「次の議事録を要約」して

「次の議事録を要約して」と入力したあと、議事録の文章をコピペしよう。

ChatGPTにコンサルタントになってもらう

アイデアが浮かばないときに相談してみよう

新商品の開発や新しい店舗のコンセプトなどを作るにはアイデアが重要になる。アイデアを出すにもChatGPTは有用だ。たとえば、「新しいカフェのコンセプトについてアイデアをください」と入力すれば、ChatGPTが創造的な提案をしてくれる。その後、続けて質問やリクエストを具体的に入力していこう。より精度の高い回答が得られるようになる。質問する際は具体的な情報を提供しよう。

アイデアを提案してもらう

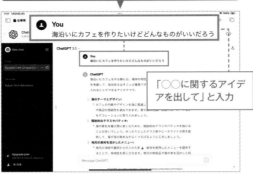

「○○に関するアイデアを出して」と入力

1 アイデアを出してもらうときは、まずざっくりと「○○に関するアイデアを出して」と入力しよう。すると、ChatGPTが箇条書きでさまざまなアイデアを出してくれる。

より具体的に情報を入力していこう

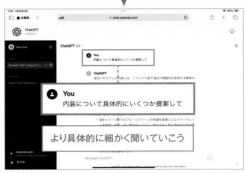

より具体的に細かく聞いていこう

2 ChatGPTに出力してもらったアイデアを基に、気になる部分に関して、より具体的にアイデア出しをしてもらおう。

ChatGPTでエクセルの表を編集する

「表にしてください」と指示した後にデータを入力する

ChatGPTを使用して、エクセルから表をコピーしてデータを加工することができる。最初に「以下を表にしてください」と指示した後、加工したい表のデータをコピーしてChatGPTの入力欄に貼りつけて送信しよう。すると、ChatGPTが入力したデータを元に新しい表を生成してくれる。その後、「行を追加して」など指示を出すと、編集して再出力してくれる。

表データをコピーする

表データをコピーする

1 エクセルでもGoogleスプレッドシートでもDropbox上で開いているデータでもよいので、まずは元の表データをコピーしよう。

作成した表をコピーする

作成した表右上の「Copy code」をタップするとコピーできる

2 「以下を表にしてください」と指示した後、表データを貼りつけて送信すると、表を改めて作成してくれる。コードはコピーできる。

こんな用途が便利！

製品のキャッチコピーを考えてもらう

2

ChatGPTを利用すれば、製品のアイデアだけでなく、既存の製品の魅力を一言で伝えるキャッチコピー作成も簡単だ。まず、製品の基本情報や独自のセールスポイント、ターゲットとする顧客層に関する

データをChatGPTに入力しよう。例えば、「エコフレンドリーな素材で作られた持続可能なファッションブランド」といった具体的な情報だ。次に、「魅力的なキャッチコピーを生成して」と入力すればよい。

複数のコピーを提案してほしい場合は「もっとたくさん提案して」と続けて入力しよう。

Copilotを使ってみよう 基本

Copilotはアカウントなしでも使える

CopilotもChatGPTと同じくブラウザから利用できる。CopilotはMicrosoftのサービスであるため、Microsoftアカウントを用いてログインする必要がある。すでにアカウントを保有している場合は、そのアカウントを登録すればよい。会員登録しなくても5回までのやり取りなら試用できるが、長く使うのであればMicrosoftのアカウントを取得しておこう。

Copilotのサイトにブラウザでアクセス

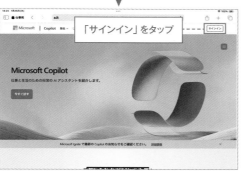

「サインイン」をタップ

1 ブラウザでCopilotのサイトにアクセスしたら、右上の「サインイン」をタップして、次の画面で利用しているMicrosoftのアカウント情報を入力しよう。

入力フォームに質問を入力する

質問内容を入力して送信

2 Copilotのメイン画面が表示されたら、画面下部にある入力フォームに質問内容を入力して送信する。すぐにCopilotが回答してくれる。

Copilotで文章を作成しよう 基本

コピーしたりテキスト形式で保存もできる

Copilotは、ビジネス文書やレポート、エッセイや小説、詩や歌詞など、さまざまなジャンルの文章を作成することができる。また、文章の内容や長さ、スタイルやトーンを調整することもできる。作成された文章は画面左下にあるコピーボタンをタップすることで簡単にコピーできるほか、エクスポートボタンからWordやPDF、Text形式に変換してダウンロードできるのがChatGPTとの大きな違いだ。

「○○」というタイトルで原稿を作成してと入力

❶「「○○」というタイトルで○○字の原稿を作成して」と入力

❷Copilotが文章を自動で作成してくれる

1 Copilotで文章作成する際の質問方法はさまざまだ。たとえばiPadOS 17の特徴を解説する文章を作りたい場合は「iPadOS 17の特徴」というタイトルで400字の原稿を作成してと入力しよう。

作成した文章をコピーやダウンロードする

コピーボタンをタップして内容をコピー

エクスポートボタンをタップしてダウンロード

2 作成した回答は下部にあるコピーボタンをタップしてコピー、エクスポートボタンから指定したファイル形式にしてダウンロードできる。

ここがポイント!

「詳細情報」をタップして内容の正確さを確認しよう

1

Copilotはユーザーに高品質な情報を提供するために、生成した情報に関して「詳細情報」という特別な機能を搭載している。提供された情報の出典を示してくれるので、情報の信頼性を自分自身で確認することが可能だ。ChatGPTでは、情報の正確性が確かめられず不安があるのに対して、Copilotは情報が正確かどうかを確かめることができるのは大きな違いだ。

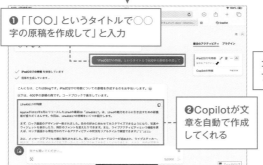

「詳細情報」横にあるリンクをタップするとブラウザが開く。

Copilotで画像を作成する

作成した画像は
ブログやSNSで
自由に使える

　Copilotは画像コンテンツを作成するのに役立つ。画像を作成するには、作成したい画像の説明やキーワードを入力しよう。Copilotがその内容に合った画像を生成してくれる。Copilotで作成した画像は、ブログやSNSなどで自由に使うことができるので著作権の問題も心配はない。なお、Copilotは、無料で1日5回まで画像を作成できるが、Copilot Proに加入すると、1日あたり100回まで画像を作成できる。

「○○のイメージを作成して」と入力する

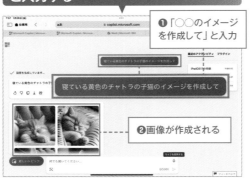

❶「○○のイメージを作成して」と入力

❷画像が作成される

1 画像を作成する場合は「○○のイメージを作成して」という形で入力しよう。すると、少し時間がかかるがいくつかの画像を作成して表示してくれる。

画像をダウンロードする

ダウンロードボタンをタップ

2 作成した画像をダウンロードするには、対象の画像をタップ。画像のダウンロードページが表示されたら、ダウンロードボタンをタップしよう。

Copilotで音楽を作成する

イメージを伝えるだけで
音楽も作成できる

　Copilotは、文章や画像だけでなく音楽も作成することができる。Copilotで音楽を作成するには、文章作成や画像作成時と同じように「○○をイメージした音楽を作成して」と入力するだけでよい。Copilotがその内容に合った音楽を生成してくれる。しかも、歌詞も一緒に作成してくれる。作成された楽曲はその場で再生するだけでなく、ほかの人と共有できる。

「○○の音楽を作成して」と入力する

「○○の音楽を作成して」と入力

1 音楽を作成する場合は「○○の音楽を作成して」という風に入力しよう。すると、少し時間がかかるが音楽生成が始まる。しばらく待とう。

作成した音楽を再生する

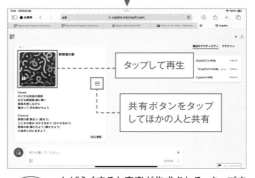

タップして再生

共有ボタンをタップしてほかの人と共有

2 しばらくすると音楽が作成される。タップすると画面上ですぐに再生できる。ほかの人と共有する場合は、共有ボタンをタップしよう。

ここがポイント!

有料ChatGPTでも
画像作成はできる

画像作成はChatGPTの有料版でもできる。両サービスとも画像作成に利用している技術はDALL-E 3というOpen AIが開発した画像生成AIのため、両サービスで生成されるイメージには類似性が見られる。しかし、Copilotは一度に4枚の画像を生成してくれるので、Copilotを使うのがおすすめだ。

3

入力フォーム左下のボタンから、Copilotは画像をアップロードして、内容を解析することもできる。

各AIサービスのインターフェース

基本的な使い方は両者とも同じ

　AIサービスにアクセスしたときに表示される画面はどれも非常によく似ており、またシンプルなため直感的に利用できる。中央にある入力フォームに質問を打ち込んで送信するだけでよい。ログイン状態で利用している場合は、サイドメニューに自分のアカウント名が表示され、これまでのやり取りの履歴も一覧で確認できる。過去の対話をクリックして、続けて行うことも可能だ。

ChatGPTのインターフェース

新規作成
タップすると新しいチャット画面が作成・表示される。

バージョン
利用しているChatGPTのバージョンが表示される。タップしてほかのバージョンに切り替えることもできる。

履歴
これまでのチャットが一覧表示される。右にある「…」をタップするとチャットをシェアしたり、名称を変更したり、削除することができる。

シェア
表示している会話内容をシェアする。

チャット画面
ChatGPTとやり取りした内容が表示される。

プラン変更
ChatGPTの有償版にアップグレードしたい場合はここをタップ。

入力フォーム
ChatGPTに送信する内容を入力する。

ユーザーネーム
ChatGPTを利用する際に作成したアカウント名が表示される。タップすると設定メニューが表示され、ChatGPTのメニュー言語や外観を変更できる。

Copilotのインターフェース

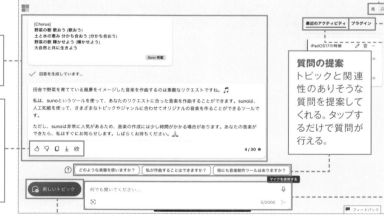

ユーザーネーム
Copilotを利用する際に作成したアカウント名が表示される。タップするとアカウントメニューが表示される。

トピック画面
Copilotとやり取りした内容が表示される。

プラグイン
利用しているプラグインが表示される。

メニューボタン
表示しているトピックに対してさまざまなアクションを行える。左から「よい回答」「悪い回答」「コピー」「ダウンロード」「シェア」。

質問の提案
トピックと関連性のありそうな質問を提案してくれる。タップするだけで質問が行える。

最近のアクティビティ
これまでのチャットが一覧表示される。トピックの名称を変更したり、削除することもできる。

入力フォーム
Copilotに送信する内容を入力する。

新しいトピック
タップすると新しいトピックが作成・表示される。

ここがポイント！

4 Copilotの一回のトピックは30メッセージまで

　Copilot無料版でトピックを立ち上げて、AIに投げかけるメッセージ数は30回までとなっており、新たにやり取りするには、新しいトピックを立ち上げるか、これまでのやり取りを消去する必要がある。現在のやり取り回数は回答欄の右下にある数字「○/30」でわかる。一方のChatGPTでは一つのトピックに対しての回数制限は特に設定されていないため深く掘り下げることができる。

7 / 30 ●

Copilotの回数制限

2つのAIサービスを上手く使い分けるには？

基本的な使い方は両者とも同じ

　ChatGPTとCopilotはそれぞれ独自の特徴を持ち、使いどころを理解すれば、作業の質を大きく向上させることができる。

　ChatGPTは、その流暢で自然な文章生成能力が魅力だ。人間らしさを感じさせる洗練された言葉づかいで、まるで筆者の思考がそのまま文字になったかのような文章を作成してくれる。読者に伝えたいことを効果的に表現したい時には、ChatGPTが強力な味方となる。

　一方、Copilotはときとして文章が少し不自然に感じられることがあるが、その情報の信頼性を確認できる点は大きな利点だ。生成した情報に対して出典を示し、リンクを提供するため、ユーザーはその正確性を直接確認できる。さらに、Bing検索サービスと連携し、最新の情報を提供する能力も備えている。

　このような特性を踏まえると、最新の情報を集めたいときにはCopilotを、緻密で魅力的な文章を作り上げたいときにはChatGPTを選ぶと良いだろう。

「「iPadを仕事で活かす」というタイトルで1000字のブログ記事を作成して」という質問に対する回答比較

● ChatGPT … ○

> 見出しと文章の組み合わせ

ChatGPTでは具体的な方法をいくつか見出しとして書き出した上で、その内容を文章で解説してくれる。

● Copilot … △

> 目次のような文章

CopilotでもChatGPTと同じく具体的な方法の見出しを挙げてくれるものの、その内容については書かれず、箇条書きで目次のような文章になりがち。

「この1ヶ月の経済状況をもとに来月の日経平均株価を予測して」という質問に対する回答比較

● ChatGPT … ✕

> 2022年1月以前のデータしか参照できない

ChatGPT無料版では2022年1月までのデータしか参考にして回答できないため、最新情報に関するレポートの作成には向いていない。なお、有料版だとBing検索を元に情報を提供してくれる。

● Copilot … ○

> 最新情報の取得に強い！

ChatGPTはBing検索サービスと連携して最新の情報を取得できるので回答してくれる場合が多く、また情報の出典にリンクを張ってくれる。

ここがポイント！

⑤ Windowsユーザーなら Copilotがおすすめ

　WindowsパソコンやMicrosoft Officeを普段利用しているユーザーならCopilotを利用しよう。Windowsをアップデートして最新版にすると、タスクにCopilotのアイコンが表示されるので、クリックすれば起動できる。また、今後はワードやエクセルなどのオフィスアプリと連携することができるので、作業の効率化やクリエイティブな成果の向上を図ることができるようになる予定だ。

Windows画面下部のベータ版のCopilotのアイコンをクリックすると、画面右に表示される。

有料版と無料版の違いは

ChatGPTは使える機能が変化
Copilotは機能の
使用回数が変化

ChatGPT、Copilotともに無料版と有料版がある。ChatGPTの有料版は、サブスクリプション制で月額20ドルとなるが機能が非常に豊富。入力できる文字数が増え、また画像生成に対応していたり、Bing検索サービスと連携して、現在の情報を収集して分析してくれる。一方のCopilotの有料版は画像生成やリクエストの使用回数が増えるのみで、機能自体の拡充は少ない。有料版はChatGPTの方がよい印象だ。

ChatGPT有料版は
画像生成もできる

更新ボタンをタップで作り直し

より具体的に編集案をリクエストする

1 画像生成は、Copilotと同じく画像生成AIモデルの「DALL-E 3」を利用している。生成結果は1枚しかないものの、気に入るイメージが作成されるまで何度もリクエストして編集できる。

Bing検索を利用して
最新の情報を取得できる

2 ChatGPT無料版は最新の情報を取得できないが、有料版では、Bing検索で情報を取得して内容を分析してくれる。

注目のGoogle製「Bard」は? ── 類似 アプリ

最新情報の取得と分析なら
Googleの「Bard」を使おう

昨年、Googleは独自のAIサービス「Bard」を発表した。Copilotに似た使い心地で、Googleの強力な検索機能を生かして、最新情報の収集と分析をしてくれる。特に、その分析能力は、Bing検索データを基にしたChatGPTやCopilotのそ

れを上回る洞察を提供する。またBardは、生成した情報の出典を明示し、リンクをつけてくれるため、ユーザーは情報の信頼性を自ら確認できる。最新情報に基づくレポート作成には、このBardが特に適している。

しかし、文章作成や校正の面では、Bardは最適な選択とはいえない。文章を校正しようと

すると、ときにはその形式を箇条書きに変えてしまったり、意図しない方向に大きく変化させてしまうことがある。そのため、情報収集や分析にはBardを、文章作成や校正にはChatGPTや他のツールを使い分けるのがいいだろう。

「今日のニュース」と入力すると、その日のニュースを収集して要約してくれる。

まとめ

文章作成や校正にはChatGPT
情報収集にCopilotやBard

各AIサービスは独自の強みと制約を有しており、これらの特性を正確に理解し、目的に応じて適切に使い分けることが、作業効率を格段に向上させる鍵となる。例えば、ChatGPTはその流暢で自然な文章生成能力に長けているが、情報の正確性を自ら確かめる必要がある。したがって、

情報自体は理解しているが、それを文書に落とし込む作業が苦手な方や、効果的なコミュニケーションが求められる場面では、ChatGPTの能力を最大限に活用することができる。

一方で、文章作成は得意でも、情報を収集し、膨大なデータから重要なポイントを抽出

することに苦手意識がある方は、CopilotやBardの使用を検討すべきだ。最新の情報を提供し、その出典も明示してくれる上、必要な情報を要約する能力を持っている。

これらのツールを状況に応じて効果的に使い分けることにより、目的に合わせて最高のパフォーマンスを引き出す

ことが可能だ。例えば、プロジェクトの初期段階で重要なリサーチを行う際にはCopilotやBardを活用し、その後、収集した情報に基づいて魅力的なコンテンツを作成する際にはChatGPTを用いる、といった具体的な使い分けが考えられる。各サービスの特性を理解し、それぞれの強みを活かすことで、より効率的かつ効果的な作業が可能となるだろう。

メモ（マークアップ）

標準アプリなのにこんなに多機能ってアリ？

どんどん便利機能が増えていく
「メモ」の手書き機能を徹底解説!

テキスト、手書き両対応、これ1本で何でもOKの万能アプリ

スタイラスペンなどによる手書きは、iPadユーザーの特権の1つとなっている。そのため数多くの手書きアプリがリリースされており、ついその存在を忘れがちだが、標準アプリの1つである「メモ」にもぜひ注目してほしい。

「メモ」アプリはその名前からも、テキスト入力でメモを書き留めるものというイメージが強いが、バージョンアップを重ね、ワープロやクラウドノートアプリなどに匹敵するほどのテキスト装飾機能、ノート管理機能を備えるに至っている。さらに、手書きによるメモやイラス

トなどの作成にも対応するようになり、その活用の幅は飛躍的に広がっている。アップル純正アプリらしく、手書きしたり、手書きしたものを編集したりする操作が直観的なことはもちろん、純正スタイラスペンであるApple Pencilを組み合わせて使えば、本当に紙に手書きしているような、ペンの傾きや筆圧

に応じた線が描けるため、本格的なスケッチやイラスト制作も可能だ。さらに、Apple Pencilがあれば「メモ」アプリに限らず、そのほかの対応アプリでスクリブルによって手書きした文字をテキストに自動変換する機能が利用できる点も大きな魅力だ。

「メモ」アプリでできること

テキスト作成をワープロなみの表現力で

キーボードからの入力で、テキストメモやノートを書き留めることができる。単なるテキストだけではなく、表やチェックボックス、画像などを挿入できるほか、ワープロのような書式設定も可能。

線や図形を手描きしてイラストなどを作成

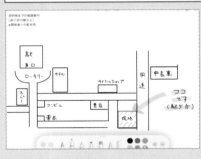

スタイラスペンや指によって、線や図形を手書きできる。ペンの種類も多彩で、色や線の太さも自由に変更可能。Apple Pencilなどの高性能スタイラスペンを使えば、ペン先の傾きや筆圧に応じて線の太さや濃淡も変化する。

文字ももちろん手書きできる

もちろん、文字も手書きできる。会議などの記録を目的とした筆記は、ペンで手書きした方が速いという場合は、スタイラスペンと「メモ」アプリの組み合わせがおすすめだ。Apple Pencilなら、手書き文字を自動的にテキストに変換することもできる。

PDFや写真にも手書きで注釈を入れる

メモの本文には、画像やPDFといったファイルを読み込むこともできるので、これらのファイルをスクラップしておくといった使い方も便利。もちろん、「メモ」アプリに読み込んだファイルに、注釈などを書き込むことも可能だ。

✓ メモ

作者/Apple
価格/無料（標準アプリ）

進化を重ね、標準アプリとは思えないほど万能かつ多機能になった「メモ」アプリ。キーボード入力、手書き入力に両対応。

マークアップツールを呼び出そう

**マークアップツール
パレットを表示するには?**

メモの本文に文字や線、図形を手書きするには、右のように操作して、マークアップツールを呼び出す必要がある。呼び出すと、画面下にマークアップツールパレットが表示されるので、ここからペンの種類などを切り替えることができる。なお、「メモ」アプリでの手書きはどのスタイラスペンでも、指できるが、Apple Pencilであれば、メモ本文の余白部分をペン先でタップするだけでマークアップツールを呼び出せる。

マークアップボタンをタップする

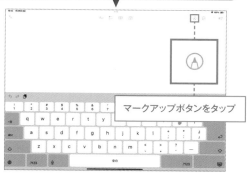

マークアップボタンをタップ

1 手書きするメモを開いておき、画面右上にあるマークアップボタンをタップする。

パレットが表示される

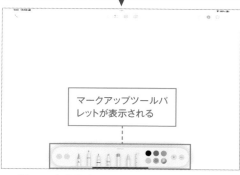

マークアップツールパレットが表示される

2 初期設定では画面下にマークアップツールパレットが表示され、メモ本文に手書きできるようになる。パレットでは、ペンの種類や太さ、色などを変更できる。各項目について詳しくは、56ページを参照。

ペンの太さや色を切り替えるには?

**パレットから
自由に切り替えられる!**

ペンやマーカー、鉛筆の各描画ツールや消しゴムツールでは、線の太さをそれぞれ5段階で変更できる。変更は、マークアップツールパレットで目的のツールをタップすると表示されるポップアップから行う。パレットではツールの描画色も変更可能だ。ここでは色の濃淡も変更可能。なお、Apple Pencilなどの高性能スタイラスペンでは、ペン先の傾きで線の太さを、筆圧で色の濃淡をそれぞれ調整できる。

線の太さを変更する

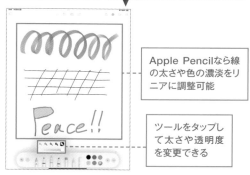

Apple Pencilなら線の太さや色の濃淡をリニアに調整可能

ツールをタップして太さや透明度を変更できる

1 マークアップツールパレットで目的のツールをタップすると、線の太さや色の濃淡を変更するためのポップアップが表示される。Apple Pencilであれば手書きしながらリニアに調整できる。

色を変更する

❷カラーパレットが表示される

❸好きな色をタップ

❶タップ

2 線や塗りつぶしの色を変更するには、マークアップツールパレット右側にあるカラーボタンから目的の色をタップする。虹色のボタンをタップするとカラーパレットが表示され、より多くの色から選択することができる。

ここがポイント!

消しゴムツールで
消す範囲を変更する

1

マークアップツールパレットの「消しゴムツール」も、タップするとポップアップが表示される。ここで「ピクセル消しゴム」をタップすると、なぞった部分が消され、その範囲

の大きさを5段階から選択できる。ポップアップで「オブジェクト消しゴム」をタップすると、手書きした線をタップするだけでその線がまるごと消去される。

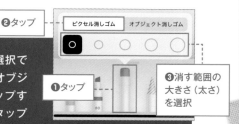

❷タップ / ピクセル消しゴム / オブジェクト消しゴム

❶タップ

❸消す範囲の大きさ(太さ)を選択

なぞった部分を消す「ピクセル消しゴム」、タップした線を消す「オブジェクト消しゴム」の2つのモードが選択できる。

図形や線を移動する 基本

投げ縄ツールで図形を選択、移動、コピーできる

マークアップツールパレットの「投げ縄ツール」は、なぞって囲んだ図形や線を選択するためのものだ。選択することによって、その図形や線をドラッグして、メモ本文内の別の位置に移動することができる。図形や線をコピーするには、投げ縄ツールで選択した状態で再度図形や線をタップすると表示されるポップアップで「複製」、あるいは「コピー」をタップすればいい。

投げ縄ツールで図形を選択する

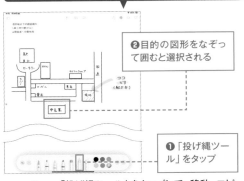

❷目的の図形をなぞって囲むと選択される

❶「投げ縄ツール」をタップ

1 「投げ縄ツール」をタップして、移動、コピーしたいものを選択する。なお、手書きした線や図形は、線をダブルタップしても選択できるが、意図しない対象まで選択されることがある点に注意。

図形をドラッグする

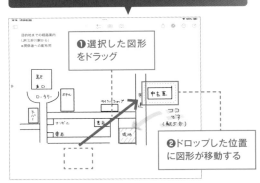

❶選択した図形をドラッグ

❷ドロップした位置に図形が移動する

2 選択した図形をドラッグ&ドロップすると、その位置に図形が移動する。選択を解除するには、選択範囲外をタップする。

手書きした文字をテキストに変換するには?

Apple Pencilの「スクリブル」機能を利用しよう

マークアップツールを使えば、線や図形だけでなく「文字」も手書きできる。手書きした文字は自動的にテキストとして認識されるので、あとから「メモ」アプリの検索機能を使って検索できる。

さらにApple Pencilなら、手書きした文字をテキストに自動変換できる。これが「スクリブル」機能で、事前に設定を有効にすると利用できる。

スクリブルを有効にする

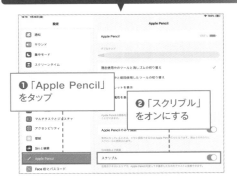

❶「Apple Pencil」をタップ

❷「スクリブル」をオンにする

1 スクリブルを利用するには、「設定」アプリで「スクリブル」の機能を有効にしておく。なおスクリブルによる手書き文字の自動テキスト変換は、「メモ」アプリ以外でも可能。

文字がテキスト変換される

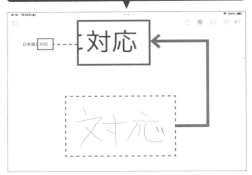

2 メモの本文に手書きした文字が、リアルタイムでテキストに変換される。変換されたテキストの編集や操作の方法は、通常のキーボードから入力したものと変わらない。

ここがポイント!

直線や円弧をキレイに描くには?

2

線や図形を手書きすると、どうしても線がブレてしまい、最終的な仕上がりがキレイにならないこともある。まっすぐな線、ブレのない曲線を描きたい場合は、線を手書きした終点からペン先を放さず1

秒ほど待つと、自動的にキレイな線に変換される。図形をキレイに描くには、目的の図形の形になるように、線の視点と終点をつながった位置で、しばらくペン先を放さず待てばいい。

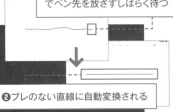

❶線を手書きした後、その終点でペン先を放さずしばらく待つ

❷ブレのない直線に自動変換される

手書きだとどうしてもブレたり曲がったりしてしまう線だが、上のように操作すると自動的にブレや曲がりが補正され、キレイな線を引くことができる。

手書きした文字を選択する

選択範囲は自由に変更できる

手書きした文字も図形や線と同様に、54ページで解説した「投げ縄ツール」を使えば選択できる。しかしこの方法だと、あとから選択する文字の範囲を変更することはできず、選択のし直しになってしまう。そのため、手書きした文字を選択する場合はまず、文字をダブルタップして大まかに選択しておき、選択範囲の両端に表示されるカーソルをドラッグして範囲を調整する方が効率的だ。

ダブルタップで選択する

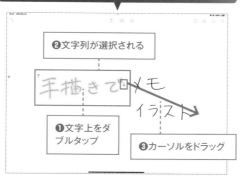

❷文字列が選択される

❶文字上をダブルタップ

❸カーソルをドラッグ

1 文字上をダブルタップすると、大まかに文字列が選択される。選択範囲の左右に表示されるカーソルをドラッグする。

選択範囲が変わる

❷選択範囲をタップするとポップアップが表示される

❶文字の選択範囲が拡張される

2 ドラッグした方向に文字列の選択範囲が拡張（収縮）される。選択範囲内を再度タップするとポップアップが表示され、ここから選択範囲の文字列をコピーしたり、複製したりできる。

メモ本文の背景デザインを変更する

罫線や方眼の背景で、キレイに手書きしよう

初期設定では、メモ本文の背景は白紙になっているが、このデザインは大学ノートのような横罫線や、方眼に変更できる。背景デザインをこれらに変えることで、特にメモ本文に図形や線、文字を手書きする際のガイドとして利用できるので、不用意に線や文字の並びがズレたり、歪んだりしてしまうのを防ぐことができる。

なお、罫線や方眼に、手書きした線はスナップしない。

メニューを表示する

❶「…」をタップ

目的のデザインをタップ

❷「罫線と方眼」をタップ

1 背景デザインを変更するメモを開いておき、画面右上の「…」をタップすると表示されるメニューで、「罫線と方眼」をタップし、目的の罫線、方眼のデザインをタップする。

背景デザインが変更される

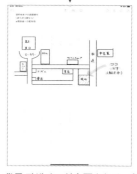

2 背景デザインが変更される。白紙のデザインに戻すには、前の画面を再度表示して白紙を選べばいい。

ここがポイント！

手書きした文字列が傾いてしまった！

3

特にフリーハンドで連続する文字列を手書きすると、どうしてもだんだんと斜め方向に文字が向かってしまいがちだ。こんな場合でも、文字を全部消して最初から書き直す必要はない。文字列すべてを選択して、ポップアップメニューから「直線にする」をタップしよう。文字列が水平方向に整列し、斜めの傾きが補正されるようになる。ただ、この方法でも補正されない場合があるので、そのときは書き直すしかない。

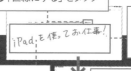

❸「直線にする」をタップ

❷選択した文字列をタップ

❶文字列を選択

❹傾きが補正される

斜めになった文字列を一発で補正できる「直線にする」コマンド。文字列のバランスや傾き方によっては、キレイに補正できないこともある。

メモ、ツールパレットのインターフェイス

シンプルだからひと目で分かる、使いこなせる

「メモ」アプリおよび手書き機能であるマークアップツールを使いこなすための第一歩は、そのユーザーインターフェイスを理解することだ。各ボタン、ツールの役割や配置を把握しておけば、必要なときにすばやくその機能を呼び出すことができるためだ。といっても、インターフェイスはシンプルなので、マスターするまで時間はかからないだろう。

「メモ」アプリの基本画面

メモの表示形式を切り替える

メモ本文を全画面表示／全画面表示解除

文字、段落書式を設定する画面表示解除

「フォルダ」ペインの表示／非表示

フォルダを並べ替えたり、タグを削除したりできる

フォルダが一覧表示される

フォルダの新規作成

フォルダ内のメモが一覧表示される

メモ本文が表示され、編集できる

メモの新規作成

アクションメニュー

マークアップツールパレットの表示／非表示

「共有」ボタン

画像を挿入、スキャンする

マークアップツールパレットの隠しツールを表示する

❶パレット上を左方向にスワイプ

❷隠れていた描画ツールが表示される

マークアップツールの種類

描画ツール／鉛筆、ペン、マーカーの3種類と、隠しツールとして製図ペン、クレヨン、万年筆、水彩ペンの4種類が用意されている

（操作を）元に戻す／やり直す

スクリブルツール／手書き文字をテキスト変換

消しゴムツール

選択ツール

定規／まっすぐに線を引くことができる

カラーパレット／ペンの色を切り替える

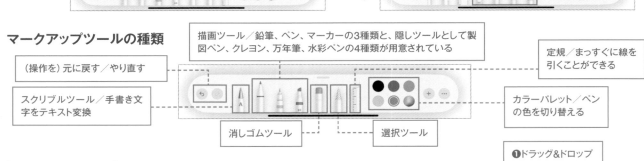

❶ドラッグ&ドロップ

❷移動する

ここがポイント！

4 パレットの表示位置を変えたい！

「メモ」アプリの既定では、マークアップツールパレットは画面下部中央に表示される。この表示位置は、画面上下左右のいずれかの端に移動することができるので、作業内容に応じて、あるいは自分好みの位置に移動しておくといいだろう。マークアップツールパレットを移動するには、パレットの上端中央にあるインジケーターを、目的の位置に向けてドラッグ&ドロップする。

パレット上端中央のインジケーターをドラッグ&ドロップすると、ドロップした位置にパレットが移動する。

PDFや画像などのファイルを管理、閲覧する

メモ本文に外部ファイルを読み込むことができる

「メモ」アプリでは、メモ本文に画像や動画、PDFやオフィスアプリなどで作成した文書ファイルなどを読み込むことができる。読み込んだ外部ファイルの中身は、インライン表示でプレビューされるので、ほかのアプリを使うことなく内容を確認できるのが便利だ。雑多になってしまったファイルを、「メモ」アプリ単体で整理、管理したり、ストックしたりといった用途に役立つ機能といえる。

外部ファイルをドラッグ&ドロップする

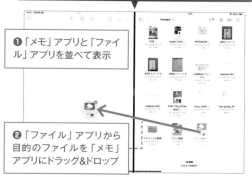

❶「メモ」アプリと「ファイル」アプリを並べて表示

❷「ファイル」アプリから目的のファイルを「メモ」アプリにドラッグ&ドロップ

1 Split Viewで「メモ」アプリと「ファイル」アプリを並べて表示しておき、「ファイル」アプリから「メモ」アプリのメモ本文にファイルをドラッグ&ドロップする。

メモにファイルが読み込まれる

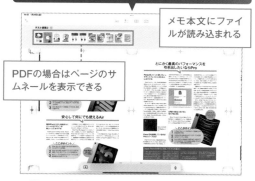

メモ本文にファイルが読み込まれる

PDFの場合はページのサムネールを表示できる

2 外部ファイルがメモ本文に読み込まれ、内容がプレビュー表示される。プレビュー表示をピンチアウト／インの操作で拡大／縮小できるほか、PDFではページサムネールも表示できる。

メモ本文に読み込んだPDFに注釈を入れる

マークアップツールを利用する

上の手順でメモ本文に読み込んだ外部ファイルには、通常のメモ本文と同様に、注釈などを手書きすることができる。注釈を手書きする場合ももちろん、マークアップツールを使用する。マークアップツールの使い方は通常のメモに手書きする場合とまったく同じだ。

なお、「メモ」アプリ上で手書きした注釈は、元の外部ファイルには反映されない点に注意しよう。

マークアップツールボタンをタップする

❶PDFを読み込んだメモを開く

❷マークアップツールボタンをタップ

1 PDFなどの外部ファイルを読み込んだメモを開き、注釈を入れたい部分を表示しておく。外部ファイルは左右にスワイプでページを切り替えられる。準備ができたらマークアップツールボタンをタップする。

手書きする

❷描画ツールなどを使って手書きする

❶マークアップツールパレットが表示される

2 マークアップツールパレットが表示されるので、目的の描画ツールをタップして選択して、外部ファイル上に注釈などを手書きできる。

ここがポイント!

注釈入りのファイルを書き出す

5

注釈を手書きした外部ファイルは、PDF形式のファイルとして書き出すことができる。書き出すことによって、他の人と注釈の内容を共有することができるようになるので、ぜひとも覚えておきたいテクニックだ。なお、共有相手が「メモ」アプリを使える環境であれば、「共有」ボタンからAirDropや共同編集などを使って注釈入りファイルを共有できる。

❶「V」をタップ

❷"ファイル"に保存」をタップ

ファイル名右の「V」をタップすると表示されるメニューから、"ファイル"に保存」をタップする。

ホーム画面からいつでもメモを確認できる!

「メモ」アプリの ウィジェットを 使ってみよう

　ホーム画面を彩るだけでなく、各種情報を表示したり、機能をすばやく呼び出したりできるミニアプリのウィジェット。「メモ」アプリにももちろんウィジェットが用意されており、表示サイズや表示内容が異なる6種類のウィジェットが利用できる。ウィジェットによっては、ホーム画面に配置した後でフォルダなどの表示内容を変更することもできるので、自分好みにカスタマイズして使おう。

「メモ」アプリのウィジェットは全6種類

1 ウィジェット追加の画面（112ページ参照）で「メモ」をタップすると、「メモ」アプリのウィジェットが表示される。サイズや表示内容の異なる全6種類のウィジェットが用意されている。

ウィジェットをカスタマイズする

❶ウィジェットを長押し

❷「ウィジェットを編集」をタップ

2 ウィジェットによっては、あとから表示内容などを変更できる。変更するにはウィジェットを長押しすると表示されるメニューから、「ウィジェットを編集」をタップする。

紙の書類を「メモ」アプリにストックしよう

書類スキャン機能で 目指すペーパーレス化

　「メモ」アプリには、紙の書類、本のページなどを撮影してデジタルデータ化できるスキャン機能が備わっている。この機能を使えば、かさばる紙書類などを「メモ」アプリに集約して管理できるため、省スペース化やペーパーレス化が可能になる。スキャン時に写り込んだ影や歪みなどは適宜自動補正されるため、キレイで見やすい状態でデジタルデータを閲覧できるのもポイントが高い。

「書類をスキャン」をタップする

❶カメラボタンをタップ

❷「書類をスキャン」をタップ

- テキストをスキャン
- 写真またはビデオを撮る
- 書類をスキャン
- 写真またはビデオを選択

1 書類を取り込むメモを開いておき、画面上部にあるカメラボタンをタップ。メニューが表示されるので、「書類をスキャン」をタップする。

紙書類を撮影してデジタルデータにする

❶書類やページを黄色い枠で覆うようにする

❷書類が認識されると自動撮影され、メモに取り込まれる

2 カメラ機能が起動するので、目的の紙書類や本のページをなるべく正面から映すようにする。書類が認識されると黄色い枠で覆われ、そのまま自動撮影される。撮影時の影、歪みなどは自動補正される。

ここがポイント!

OCR機能で 紙書類から テキストを抽出!

6

　上の手順では、紙の書類やページをまるごと取り込んでいるが、紙書類からテキスト情報だけを抽出してデジタルデータ化し、メモに取り込むことができる。こうして取り込んだテキストは、キーボードなどで入力したテキストと同様に編集できる。なお、上の手順でスキャンした書類に含まれる文字情報も自動的にテキストとして処理される。そのためキーワード検索で抽出することも可能だ。

カメラボタンタップで「テキストをスキャン」をタップし、上と同様の手順で目的の文字列を撮影すると、テキストとしてメモ本文に取り込まれる。

ロック画面からすばやくメモを呼び出す

ペンでタップして
メモを始めよう

　Apple Pencilを持っているならばぜひ使ってほしいのが、「ロック画面からメモにアクセス」機能だ。これはその名のとおり、ロック画面をApple Pencilでタップした瞬間に「メモ」アプリが起動し、新規メモを描き始められるというものだ。この際、ロック解除の操作も必要ないため、思いついたアイデアやイメージをすぐに形にして記録しておけるのがうれしいポイントだ。

設定を有効にしておく

❶「メモ」をタップ

❷「ロック画面からメモにアクセス」をオン

1 「設定」アプリで「メモ」をタップして、「ロック画面からメモにアクセス」をタップする。次の画面で「常に新規メモを作成」あるいは「最後のメモを再開」をタップすると機能が有効になる。

ロック画面をApple Pencilでタップする

❶ロック画面をApple Pencilでタップ

❷「メモ」アプリが起動する

2 ロック画面をApple Pencilでタップすると「メモ」アプリが起動する。設定画面で「常に新規メモを作成」を選ぶと、起動と同時に新規メモが作成、表示される。

ホーム画面、他アプリからすばやくメモを呼び出す

画面下から呼び出せる
「クイックメモ」を
活用しよう

　ウェブページに掲載されていた情報から得たインスピレーションをサクッと書き留めたい、忘れないうちにラフなイメージを記録しておきたいといった場合は、クイックメモを活用したい。クイックメモは、画面下端左右から対角線上にスワイプすることですばやく呼び出せるメモのウインドウで、ここには「メモ」アプリと同様にテキストや手書きでメモを入力できる。

設定を有効にする

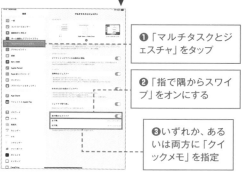

❶「マルチタスクとジェスチャ」をタップ

❷「指で隅からスワイプ」をオンにする

❸いずれか、あるいは両方に「クイックメモ」を指定

1 「設定」アプリで「マルチタスクとジェスチャ」をタップして、「指で隅からスワイプ」をオンにする。続けて、その下の項目のいずれか、あるいは両方で「クイックメモ」を指定する。

クイックメモを呼び出す

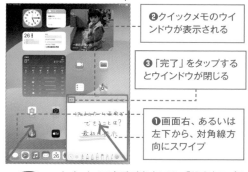

❷クイックメモのウインドウが表示される

❸「完了」をタップするとウインドウが閉じる

❶画面右、あるいは左下から、対角線方向にスワイプ

2 クイックメモを呼び出すには、「設定」アプリで設定した位置から、対角線方向にスワイプする。書き留めたメモは、「メモ」アプリの「クイックメモ」フォルダに保存される。

ここがポイント！

あとで読む
ウェブページを
クイックメモ！

7

　クイックメモの機能の中でも特に便利なのが、Safariとの連携機能だ。ウェブページを閲覧中にクイックメモを表示すると、クイックメモのウインドウ上部に「リンクを追加」ボタンが表示される。これをタップすると、現在表示中のページへのリンクがメモ本文に埋め込まれるので、あとで読み返したいページはこの方法でストックしておこう。

❶Safariでウェブページを表示

❷「リンクを追加」をタップ

❸リンクがメモに埋め込まれる

クイックメモに「リンクを追加」ボタンが表示される。これをタップするとリンクがメモ本文に埋め込まれる。

テキストの「スタイル」機能を使ってみよう

上級技!!

書式の設定でテキストをより見やすく、華やかに

「メモ」アプリは、テキストを取り扱うための機能も充実している。特にテキストを太字や斜体にしたり、タイトル、見出しなどの書式を設定したりするための「スタイル」はぜひチェックしておきたい。このスタイルによって、「メモ」アプリでもワープロで作ったような、見やすく、華やかな文書を作成することができるためだ。ここでは特に使い勝手のいい2つの書式を紹介する。

「ブロック引用」で見出しを際立たせる

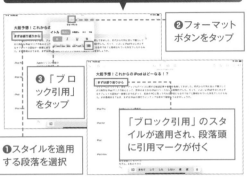

❷フォーマットボタンをタップ

❸「ブロック引用」をタップ

「ブロック引用」のスタイルが適用され、段落頭に引用マークが付く

❶スタイルを適用する段落を選択

1 「ブロック引用」は、ほかの文書からの引用部分を、それ以外の部分と区別するためのスタイルだが、このように使うことで、見出しをより際立たせることができる。

「等幅」で引用部分を他の部分と区別する

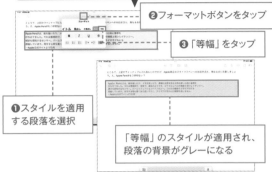

❷フォーマットボタンをタップ

❸「等幅」をタップ

❶スタイルを適用する段落を選択

「等幅」のスタイルが適用され、段落の背景がグレーになる

2 「等幅」は、選択した段落の背景をグレーにして、文書内のほかの段落との違いを強調するためのスタイル。このように使うことで、他文書からの引用部分であることを示すことができる。

メモから他のメモに切り替えられる

上級技!!

メモ同士を「リンク」する方法をマスターする

メモ本文に入力したテキストには、ほかのメモへの「リンク」を設定できる。リンクを設定したテキストをタップするとリンク先のほかのメモに表示が切り替わる。長文を書くときなど、注釈や用語解説を同じメモ本文に記載してしまうと冗長になり、読みづらくなってしまう。これらの補足的な要素を別のメモに書き、本文からそれらのメモにリンクさせるといった使い方がスマートだ。

リンクを設定する

❸「リンクを追加」をタップ

❷選択したテキストをタップ

❶リンクを設定するテキストを選択

1 リンクを設定するテキストを選択してタップし、表示されるポップアップで「リンクを追加」をタップする。

キーワードを入力する

キャンセル　リンクを追加　完了

リンク先

Apple

❶キーワードを入力

❹「完了」をタップ

❸目的のメモをタップ

20220323 Apple Watch本

Apple Pencilとは？　17:20

Apple Watch、買っても大丈夫？に応え…　2015/05/08

❷キーワードをタイトルに含むほかのメモが表示される

2 「リンクを追加」のポップアップが表示される。ここで「リンク先」にキーワードを入力すると、それを含むほかのメモが検索されるので、目的のメモをタップして選択し、「完了」をタップするとリンクが設定される。

ここがポイント！

直近のメモへのリンクをすばやく設定する

1

複数のメモの目次となるメモを作るような場合、目次項目ごとにリンクを設定するのは手間がかかる。そこで、リンクを設定するもう1つのテクニックを覚えておきたい。それが、半角の「>>」を入力する方法だ。メモ本文に「>>」を入力すると、直近に作成、編集したメモの履歴が最大12個まで表示される。ここから目的のメモをタップすると、そのメモのタイトルとともにリンクが設定される。

❷メモの履歴が表示されるので、リンク先とするものをタップ

❶「>>」を入力

>>

大胆予想！これからのiPadはどうなる…　17:21

Apple Pencilとは？　17:20

新規メモ　17:16

iPadのホーム画面で　17:15

Goodnotes 6にはさまざまな新機能が…　17:09

こんな使い方もある　17:07

メモ本文に「>>」を入力すると、直近の最大12個のメモのタイトルが表示される。目的のメモをタップすると、それがリンクとなる。

フォルダ、タグを使ってメモを整理しよう

2つの方法を併用して、整理と管理を効率的に

　メモを仕事用、プライベート用といったように、大まかに分類する場合はフォルダが便利。ただしフォルダは、分類項目が増えてくるとフォルダ自体の数も増えてしまう本末転倒の状態になりがち。そこでフォルダと「タグ」を併用することをおすすめする。タグなら1つのメモに対し複数の分類を設定できる上、その数が増えてもメモ管理の妨げにはならないため、整理する必要はない点も大きなメリットだ。

メモにタグを設定する

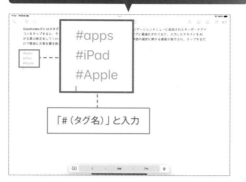

#apps
#iPad
#Apple

「#（タグ名）」と入力

1 メモにタグを設定するには、メモの本文の任意の位置に半角の「#」に続いてタグ名となるテキストを入力する。その直後に改行するかスペースを入力するとタグになる。

タグでメモを管理する

❷そのタグが設定されたメモが表示される

❶タグをタップ

2 メモにタグを設定すると、「フォルダ」サイドバーに「タグ」の項目が現れ、設定済みのタグが一覧表示される。ここで目的のタグをタップすると、そのタグが設定されたメモが抽出される。

Goodnotes 6やNoteshelfとの違いは？　　類似 **アプリ**

定番2大手書きアプリのアドバンテージに迫る

　手書きでメモを取ったり、PDFなどに注釈を書き込んだりといった用途で定番といえるのがGoodnotes 6とNoteshelfの2大アプリだ。もちろん2大定番アプリには、豊富なテンプレートや多彩なペンの種類、優れたメモの管理機能など、純正「メモ」アプリと比べて大きなアドバンテージがあるので、それらの機能が魅力に感じられれば、課金、購入して損はないだろう。

手書きするなら使いやすさに優る「Goodnotes 6」

手書きメモに特化し、その使いやすさにとことんこだわったアプリ。豊富な機能を備えながら、比較的シンプルなインターフェイスでなじみやすいのも人気の一因となっている。本やノートのような「表紙＋ページ」という構成でメモを管理できる点が特徴。

 Goodnotes 6

作者/Time Base Technology Limited
価格/無料（アプリ内課金あり）
カテゴリ/仕事効率化

多彩なペン、豊富な機能でメモからスケッチまで

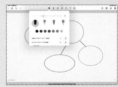

Apple Pencilのリリースに合わせて登場した、老舗の手書きノートアプリ。多彩なペンや豊富な機能によって思いどおりに手書きできることももちろんだが、それ以上にペンやカラー、インターフェイスなどのカスタマイズ性が高いところも大きな魅力だ。

 Noteshelf

作者/Fluid Touch Pte. Ltd.
価格/1,500円
カテゴリ/仕事効率化

 まとめ

無料でここまでできる！ これからも進化に期待できる有望アプリ

　最初はただテキストを書き留めるだけのシンプルなアプリだった「メモ」は、iPadのOSバージョンアップに合わせて高性能化し、現在ではワープロなどの本格的な文書作成ツール並みの表現力を身につけた。またApple Pencil登場以降は、手書き入力機能が搭載されるようになり、筆圧や傾き検知など、それまでは高価な機器が必要だったきめ細かな手書き表現も可能になった。その後もさらに「メモ」アプリは進化を遂げ、現在ではドキュメント管理、手書きコンテンツ管理の統合アプリとして確固たる地位を築いた。

　標準アプリがここまで充実すると、もはや普通の用途ではほかのアプリを導入する意味はないかもしれない。使い慣れたアプリがある、そのアプリにしかない特徴的な機能が手放せないといったケース以外では、標準アプリで十分だろう。

今、使うべきアプリ 4 AJournal

スケジューラーアプリの決定版!

手書き&デジタルを融合
スケジュールは「AJournal」が超快適!

**自分だけの手帳が作れる
カスタマイズ性が高い
カレンダーアプリ**

カレンダーアプリは何がいいのか？ iPadが出てから常に議論されていて、アプリも常にアップデートされているため、結論づけるのは難しいが、現時点で決定版と位置づけたいのが「AJournal」だ。

まず、iCloudやGoogleカレンダーとの同期が可能で、そのスケジュールに手書きでメモを加えられるというスタイル。画面のほとんどの場所にメモでき、さらにはスタンプや写真なども貼りつけることができる。加えて、AJournal上から同期しているカレンダーへとイベント（予定）を追加することも可能。

手書きとデジタル情報を一元化することで、Appleのカレンダーとのシームレスな同期が実現している。

この手のスケジュールアプリによくある「自分の使い方に合わない」「自分が欲しい情報・項目がない」といった課題も解決できそうだ。テンプレートは100以上から選択できるうえ、

まっさらな状態から自分で要素を追加してオリジナルのテンプレートを作成することも可能。「自分だけのスタイル」で情報を整理できるAJournalを使いこなせれば、面倒な予定管理が、より直感的で個性的なものに変わるはずだ。

スケジュールアプリ「AJournal」とは？

AJournalのポイント

1. 定番ツールとの高い連携力

- Appleの「カレンダー」 WED 28
- Googleカレンダー 31
- リマインダー

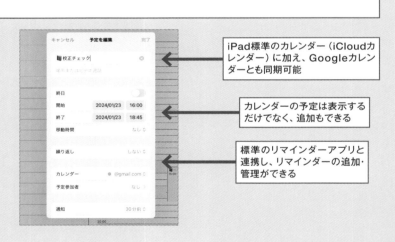

iPad標準のカレンダー（iCloudカレンダー）に加え、Googleカレンダーとも同期可能

カレンダーの予定は表示するだけでなく、追加もできる

標準のリマインダーアプリと連携し、リマインダーの追加・管理ができる

2. 手書きやテンプレート追加など高いカスタマイズ性

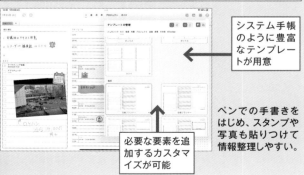

システム手帳のように豊富なテンプレートが用意

ペンでの手書きをはじめ、スタンプや写真も貼りつけて情報整理しやすい。

必要な要素を追加するカスタマイズが可能

3. フル機能をお試し可能

一部機能は有料（350円/月）となっているが、1週間の無料トライアルが用意されている

✓ **AJournal**

作者/WonderApps AB
価格/無料（アプリ内課金350円/月から）

さまざまなニーズに答えてくれる究極の手書き多機能スケジューラー!

標準「カレンダー」やGoogleカレンダーと同期する

各カレンダーとの同期が強力! まずは同期の設定を済ませておこう

AJournalが優れているところは、デジタルのカレンダーの内容へ手書き要素を加えられるところ。これにはiPad標準の「カレンダー（iCloudカレンダー）」と同期が必要だが、セットアップ時にカレンダーへのフルアクセスを許可すればいい。

なお、Googleカレンダーとも同期できる。この場合は事前に標準「カレンダー」でGoogleカレンダーを扱えるようにしておけばいい。

標準のiCloudカレンダーと同期する

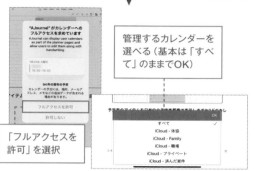

管理するカレンダーを選べる（基本は「すべて」のままでOK）

「フルアクセスを許可」を選択

1 初回起動時に、標準カレンダーへの「フルアクセスを許可」を選択。管理するカレンダーの種類を選択しよう。基本は「すべて」でいい。

Googleカレンダーと同期する場合

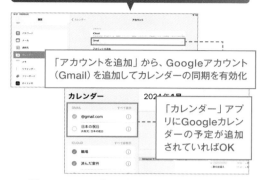

「アカウントを追加」から、Googleアカウント（Gmail）を追加してカレンダーの同期を有効化

「カレンダー」アプリにGoogleカレンダーの予定が追加されていればOK

2 iPadの「設定」→「カレンダー」→「アカウント」からGoogleアカウントを追加。標準のカレンダーでGoogleカレンダーを扱えるようにしておけばいい。

AJournalに予定やタスクを入力する

カレンダーと同じくタップして予定を追加できる

まずはAJournalのベーシックな使い方として、カレンダーのスケジュールやタスクリストにタスクを追加してみよう。これには画面右上の「選択」ツールをタップして、「スケジュール」欄や「タスク」欄をタップして、予定の内容を記入すればいい。なお、Apple Pencilでの手書き文字入力「スクリブル」にも対応している。

新規イベントを追加する

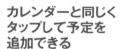

❸イベントの内容を入力する

❷イベントを追加したい時間帯をタップ

予定を追加するカレンダーも選択できる

1 右上の「選択」ツールをタップして、イベントを追加したい時間帯をタップ。標準カレンダーと同じように予定の内容を入力すればいい。

その日のタスクを追加する

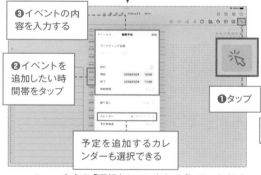

完了したタスクは□をタップして完了化できる

❷リマインダーの内容を入力する

❶タップ

❶タスク欄をタップ

❸「作成」をタップして追加

2 同じく「選択」ツールをタップ後、「タスク」欄をタップすることで、タスク（リマインダー）を追加できる。

こんな用途が便利!

「カレンダー」やGoogleカレンダーから予定を確認・編集する

1

AJournalで追加したイベントやタスクは、iPad標準の「カレンダー」や「リマインダー」と同期しているため、これらのアプリや、Webサービスから追加した予定を確認・編集可能。MacやWindows PCなど、PCを使ったデスクでの予定管理と、タブレットでの予定管理を一元化できる。ただし、後述する手書きで追加した内容や写真・スタンプなどは同期されないので、その点は注意だ。

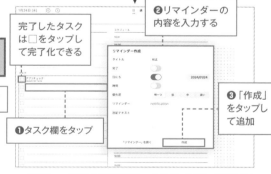

AJournalで追加したイベントが標準の「カレンダー」アプリでも反映される（Googleカレンダーへも対応）

AJournalの画面の見方

AJournalの基本的なツールの使い方と便利機能を覚えよう

AJournalは非常に多機能なスケジューラー。利用できる機能やツールが多いため、ややとっつきづらさも感じるかもしれない。しかし、基本は右上のツールボタンから、使いたい機能のツールを選んでいけばいい。選択したツールに対応するアクションが表示されるので、それらから目的の機能を選んでいこう。

なお、テンプレートは自由に追加・カスタマイズできるので、以下の画面はデフォルトのテンプレート画面での表示となるが、ツール類のレイアウトや機能などに変更はないので安心してほしい。

基本となる「日」表示画面の機能

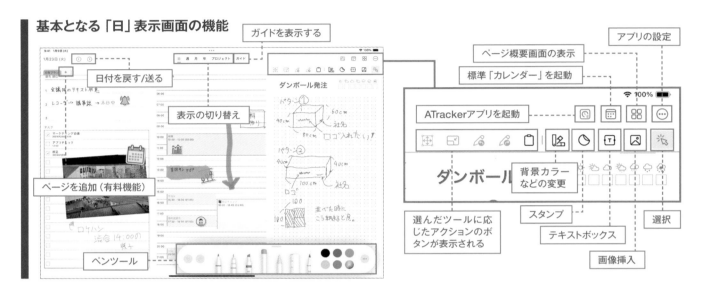

ガイドを表示する / 日付を戻す/送る / 表示の切り替え / ページを追加(有料機能) / ペンツール / アプリの設定 / ページ概要画面の表示 / 標準「カレンダー」を起動 / ATrackerアプリを起動 / 背景カラーなどの変更 / 選んだツールに応じたアクションのボタンが表示される / スタンプ / テキストボックス / 画像挿入 / 選択

週・月・年単位での切り替え可能

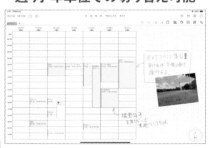

画面上部で表示単位を切り替える(こちらは「週」表示)。それぞれの画面で手書きが可能だ。なお、「年」表示では年間カレンダーではなく、タスクリストが表示される。

画像を貼りつける

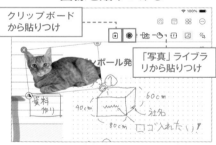

クリップボードから貼りつけ / 「写真」ライブラリから貼りつけ

画像は「写真」ライブラリから貼りつけられるほか、クリップボードからも貼りつけ可能。iPadOSの画像の切り抜き機能を利用すれば、スタンプ風に画像を貼ることもできる。

テキストボックスでの長文入力やリンクをサポート

フォントや背景色の変更などが可能 / リンクボタン

長文を入力する場合はテキスト入力が便利。フォントサイズや色、背景色なども変更できるので、付箋のように使える。また、リンクを設定することも可能。

ここがポイント!

2 画像やステッカーをどんどん貼っていこう

AJournalでは上で紹介した画像の貼りつけ以外にも、さまざまなステッカーが用意されているところも評価したい。ステッカー自体はシンプルなものだが、標準でも多種多様なデザインが用意されており、重要な項目をワンポイントで目立たせたい場合に有効だ。

なお、有料のサブスクリプションを契約すれば、タイポグラフィやデザイン性の高いステッカー、付箋もステッカーとして貼ることができる。

ステッカーには付箋のデザインも用意されている。情報整理に便利なので、サブスクリプション契約の価値はある。

画面のどこにでも手書きができる!

どんな表示単位でも好きなところに手書きでメモできる

　紙の手帳が優れている点は、ページのどこにでも書き込めるところ。「メモを取る」という機能についてはやはり手帳の方が優れているのは確かだ。かといってAJournalも負けてはいない。画面のほぼすべての領域に手書き可能。さらには、スケジュール欄に追加したイベントの上にすら、文字を書き込める。ここまで手書きの自由さを再現したプランナーは珍しい。

画面の90%の領域に自由に書き込める

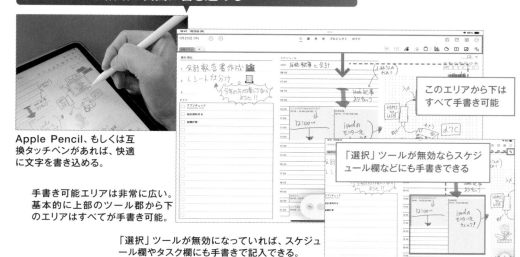

Apple Pencil、もしくは互換タッチペンがあれば、快適に文字を書き込める。

手書き可能エリアは非常に広い。基本的に上部のツール郡から下のエリアはすべてが手書き可能。

このエリアから下はすべて手書き可能

「選択」ツールが無効ならスケジュール欄などにも手書きできる

「選択」ツールが無効になっていれば、スケジュール欄やタスク欄にも手書きで記入できる。

ペンから指を離さずすべての操作が完結できる

スクリブル機能が手書きの便利さを更に加速させる

　ペンから手を離さずに使いこなせるところも素晴らしい。たとえばイベント名の記入もソフトウェアキーボードは使わなくていい。iPadの手書き入力「スクリブル」機能で、テキストボックスにペンで直接文字を書き込めばOK。手書き文字はテキストへと変換され、入力される。おかげでペンを握ったまま、紙の手帳と同じ感覚でデジタルプランナーを使いこなせる。

スクリブル入力でキーボードいらず

❶入力したい場所をタップ

❷スクリブルの言語ボタンから「日本語」を選択

iPadの手書き機能スクリブルとの相性も抜群。入力欄にペンを置くと、スクリブルの設定が表示されるので、言語を日本語に設定しよう。

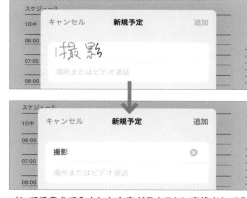

ペンで手書きで入力した文字がテキストに変換されて入力される。認識精度はかなり高い。

ここがポイント!

付箋を活用して情報整理をアップデート

3

　有料のサブスクリプションを契約すると、ページの追加（67ページ）に加えてステッカーリストの中にある「付箋」も利用できるようになる。紙の手帳を利用している人なら付箋の便利さは周知のことかと思うが、情報整理に非常に有効。AJournalの付箋も実際の付箋と同じく、好きな位置に貼りつけられ、付箋の上にメモも書ける。付箋の色やパターンも複数用意されているので、情報を整理していこう。

付箋の上に文字を書ける。ただし、付箋を動かすと文字はついてこないので、その点は気をつけよう。

オリジナルのテンプレートを作ろう

世界にひとつ 自分だけのオリジナル スケジューラーを作る

スケジューラーアプリは多々あるが、どれも基本的にはページのレイアウトが決まっている。レイアウトが気に入ればいいが、使っていくうちに「こういう機能が欲しかった」といった、自分の仕事や作業に合わせた要素が欲しくなることも多い。

この点もAJournalが優れているポイントだ。「テンプレートの管理」からは、用意されている多種多様なテンプレートを選ぶことが可能。さらには、ユーザーがテンプレートをカスタマイズすることも可能だ。これには真っ白な背景から、欲しい要素を追加していくこともできれば、すでにあるテンプレートを元にして、足りない要素を追加していくといったカスタマイズも〇K。レイアウトやサイズも自由に変更できるので、自分の求める機能・デザインを備えた、世界にひとつだけのオリジナルスケジューラーを作ってみよう。

POINT
使う向きに合わせて テンプレートを用意する

テンプレートの雛形を選ぶ

❶「…」→「テンプレートの管理」とタップ

作成・保存したユーザーテンプレートはこちらをタップして表示できる

❷カスタマイズ元のテンプレートを選ぶ

テンプレートの向き（POINT参照）

1 「…」→「テンプレートの管理」とタップし、テンプレート一覧から、カスタマイズ元にしたいテンプレートを選ぶ。

要素の削除と追加

❶「-」ボタンから要素を削除

❷「+」ボタンで要素を追加する

2 画面にセットされた要素は「-」ボタンから削除することができる。空いたスペースに「+」ボタンから追加したい要素を選ぼう。

要素のカスタマイズ

❶色やフォントサイズなどが変更できる

❸サイズや位置をドラッグで調整する

❷変更後タップ

3 追加する要素によっては、色やフォントサイズなどを変更できる。また、配置後はドラッグでサイズ変更、位置変更も自由自在だ。

テンプレートを保存する

時計やカレンダーを追加

テンプレートを保存する

毎日のゴール、箇条書き欄を追加

タスクリストをコンパクトに。メモも追加

ポモドーロ用タイマーを追加

4 手順2～3を繰り返して画面全体のレイアウトを変更できたら、「…」→「名前を付けて保存」からテンプレートを保存しよう。

テンプレートは横向き・縦向きで自動で切り替わらない。手順1の画面で画面の縦・横を決めてからテンプレートを作っていこう。

ここがポイント！

テンプレートの適用はややクセがある

4 作成したテンプレートを適用するには「…」から「現在のページのテンプレートを変更する」からテンプレートを選ぼう。他のページもすべてテンプレートを変更したい場合は、テンプレートにしたいページを開いた状態で「デフォルトのテンプレートを変更する」を選ぶといった流れとなる。ただし、すでに開いたことがあるページや過去のページは適用されない。

❶現在開いているページのテンプレートを変更する

❷現在開いているページのテンプレートを標準として全ページに適用する

ページを追加する

複数のページで予定を さらに綿密にメモ・管理

　有料のサブスクリプションを契約すると、「+」ボタンからページを追加できるようになる。おすすめは「会議ノート」。会議の議事録に適したテンプレートとなり、使い勝手が良い。また、食事のメモや買い物リストなど、生活に繋がるテンプレートも備わっているので、ビジネスとプライベートの両方のスケジューリングをAJournalだけでこなせるようになる。

「+」ボタンからページを追加

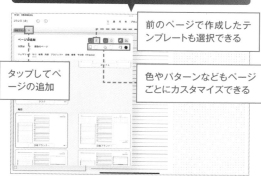

タップしてページの追加

前のページで作成したテンプレートも選択できる

色やパターンなどもページごとにカスタマイズできる

1 ページを追加するには「+」ボタンをタップ（有料サブスクリプションが必要）。追加したいページのテンプレートを選ぼう。

ページを切り替えて利用する

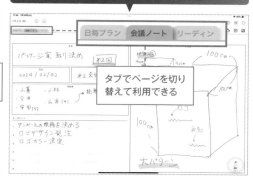

タブでページを切り替えて利用できる

2 ページはタブで切り替えて利用できる。業務内容やプライベートの予定など、用途に合わせて追加していこう。

必要な部分をエクスポートする

範囲を指定して 印刷やPDF形式で 出力しよう

　書き込んだメモをチームのメンバーに見せたり、印刷して配布することも可能。これにはメニューから「印刷／エクスポート」を選べば良い。出力する範囲を決めて、PDF形式での出力や印刷することができる。

　ただし、広い範囲をPDF出力しようとすると失敗することがあるので、PDFでの出力は2～3日単位で区切った方がいいかもしれない。

「印刷/エクスポート」を選択

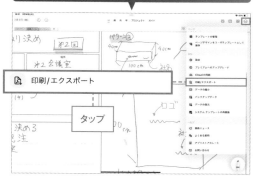

印刷/エクスポート

タップ

1 ページの出力には「…」→「印刷/エクスポート」と選択する。

出力フォーマットを決める

フォーマットを決める

PDFで出力する場合はこちらから

2 出力する日付の範囲や、日付の種類、画質、ページ背景を含むか除外するかなどを決めよう。PDFでの出力の他、印刷も可能だ。

ここがポイント!

バックアップも できるので 端末変更も安心

5

　AJournalではiCloudでの同期も可能（有料サブスクリプションが必要）で、異なる端末間で同じ内容をチェックできる。また、変更内容を手動でバックアップ・復元することも可能。これには、「…」→「データのバックアップ」「データの復元」から。バックアップデータは、「ファイル」アプリの「このiPad内」→「AJournal」に保存される。年に1度程度は手動でバックアップしておくといいだろう。

「データのバックアップ」と「データの復元」で、手書き内容をすべて保存・復元することができる。

iPhoneでも同じメモを利用可能

iCloudを使って
メモ内容を同期
同じ予定を確認可能

　AJournalはiPhone用アプリも用意されており、iPadとiPhoneの両方から予定の確認や追加、メモを利用できる。この場合は、iCloud同期機能が役立つ。iCloud同期を有効化しておくことで、どちらの端末からでも最新のカレンダーと手書きメモを確認できるので、外出時なども予定が確認しやすくなる。ただし、iCloud同期には有料サブスクリプションが必要だ。

iCloudの同期を有効にする

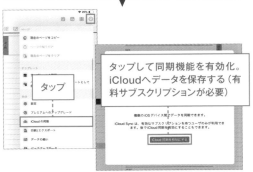

タップして同期機能を有効化。iCloudへデータを保存する（有料サブスクリプションが必要）

1 iPhoneで操作する前にiPad側で「…」→「iCloudの同期」をタップして、同期機能を有効にしておこう（有料サブスクリプションが必要）。

iPhoneアプリでAJournalを実行する

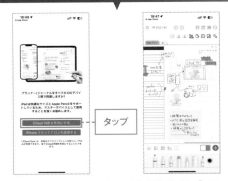

2 iPhoneアプリでは初回起動時に「iCloud同期を有効にする」をタップ。これでiPadで作成したメモが同期され、iPhoneからも利用できるようになる。

ATrackerと連携させるとさらに便利に

上級技!!

ATrackerを併用して
タスク管理を
さらに綿密に!

　開発元が同じタスク管理アプリ「ATracker」との連携機能も便利だ。ワンタップでアプリ間を移動でき、ATrackerで追加したタスクがスケジュールに反映されるようになる。また、実行中のタスクがAJournal側でもチェックできるようになるなど、予定管理がさらに綿密になる。

✅ **ATracker**

作者/WonderApps AB
価格/無料（アプリ内課金350円/月から）

ATrackerのテンプレートを適用する

タップするとATrackerアプリに移動する

ATracker対応テンプレートを適用しておく

1 まずはATrackerに適用したテンプレートを適用しよう。テンプレートの変更画面から「ATracker」タブを開き、対応テンプレートを選択する。

ATrackerのタスクが連動する

タップするとAJournalアプリに移動する

ATrackerで追加したタスクもAJournalに自動で追加される

ATrackerで実行中のタスク

2 ATrackerで入力したタスクが、AJournalでも自動で入力され、相互でスケジュールを管理することができるようになる。

ここがポイント!

スケジュールで
表示するコアタイムを
変更しておこう

6

　AJournalの「スケジュール」項目に表示される時間の範囲は、初期設定では6時～21時となっている。しかし、職種によってはコアタイムが遅い場合もあるはずだ。この場合、表示範囲を変更することで対応することができる。これには「…」→「設定」とタップし、「時間範囲」を表示したい範囲に調整すればいい。なお、平日の設定や表示テーマカラーなどもこちらから変更できることも覚えておこう。

コアタイムや曜日始まりを変更したい場合は「設定」から。

AJournalのデメリットは?

マルチタスク力が弱点 サブスクの価格を どう見るか?

完成度の高いAJournalだが、テンプレートの複雑さや、無料版での制限など、弱点もある。特にほかのアプリからのドラッグ&ドロップができないのはもったいない。現状、iPadのマルチタスク力を発揮しきれていないので、ここは改善が待たれる。

サブスクなしではiCloud同期やページ追加ができないのも惜しい。サブスクは月額350円、年額で3,100円と高コストなのも悩ましいポイントだ。

ここが課題

- テンプレートが一括で変更できない
- ドラッグ&ドロップで画像やファイルが貼りつけられない
- 標準では年間カレンダーが表示されていない
- 無料版だと同期機能が使えない
- サブスクリプションの料金がやや高い

Split ViewやSlide Overした画面からドラッグ&ドロップできないのは残念

「その他」に年間カレンダーがある。こちらを設定しておこう

ドラッグ&ドロップできないのはiPadのマルチタスク力を発揮できないので残念。年間カレンダーはテンプレートから手動で設定しておこう。

Pencil PlannerやPlanner for iPadとの違いは? ── 類似 アプリ

情報のまとまり感や グラフィカルな 情報整理も魅力的

iPad用の手書きスケジューラーといえば「Pencil Planner」や「Planner for iPad」も人気。これらも優秀なアプリなので、AJournalの対抗馬となる。「Pencil Planner」は、手書きメモが日、週、月の複数の表示にまたがって表示されるので、情報が散らばらない点が便利。「Planner for iPad」は、リフィルやマスキングテープ、写真を貼りつけてメモを書けるなど、グラフィカルな情報整理が得意。これらも候補に入れて最適なスケジューラーを決めて欲しい。

情報をまとめる能力が高い「Pencil Planner」

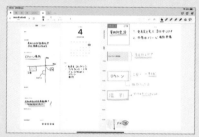

✔ **Pencil Planner**
作者/Wasdesign, LLC
価格/無料(アプリ内課金550円/月から)

日、週、月で手書きが連動され、同期先カレンダーに予定の追加も可能。テキストや手書きメモとリンクできるなど、情報をまとめる能力が高い。

グラフィカルな思考整理が得意な「Planner for iPad」

✔ **Planner for iPad**
作者/Takeya Hikage
価格/無料(アプリ内課金360円/月から)

リフィルやマスキングテープ、写真を貼りつけてメモを書けるなど、自分の思うがままに情報を整理できるのが利点。

 **まとめ**

自分好みのスケジューラーが見つからなかった人は絶対に試すべきアプリだ

手書きできる範囲が広く、標準のカレンダーとも連携でき、さらにテンプレートも豊富でカスタマイズ性も高いAJournal。できることが多いため、複雑に感じる面もあるが、使いこなせれば心強い。

特にこのカスタマイズ力は数あるiPad用スケジューラーの中でもダントツ。自分で必要な要素を好きなレイアウトで詰め込めるため、これまでスケジューラーをデジタルへと移したいと思っていながら、「自分が欲しい項目がない」と諦めていた人も多いはず。AJournalであれば理想のデザイン・レイアウトを追求できるため、デジタルスケジューラーを求める人はもちろん、理想の手帳を求める幅広い層で、絶対に試すべきアプリ。無料版でもベーシックな機能は使えるうえ、サブスクリプションの無料体験も1週間用意されているので、まずは気軽にインストールしてみよう。

アプリ・インデックス

APP INDEX　　アプリ名から記事を検索しよう。

A

※アプリ以外にも、iPadの機能名も含んでいます。

iPad
|仕|事|術|!
iPad Working Style Book!!!!
2024

Chapter 1
入力 INPUT

Chapter 2
編集 EDIT

Chapter 3

情報収集 INFORMATION

Chapter 4

効率化 IMPROVE

Chapter 5

管理 MANAGEMENT

入力
INPUT

こんな
用途に
便利！

キーボード入力環境を快適にしたい
フローティングキーボードで片手入力ができる

効率的にテキスト編集をしたい
基本のタップ操作やジェスチャ操作をマスターしよう

物理キーボードの入力を効率化する
地球儀キーのショートカットを使いこなそう

キーボード入力やテキスト操作を完璧にマスターしよう

iPadで片手入力を可能にするフローティングキーボード

iPadで文字入力するには画面を直接指でタッチするオンスクリーンキーボードを使うのが一般的だが、画面が大きいこともありスマホに比べ使いづらいものだった。しかし、iPadOSの登場以来、iPadでの入力操作がかなり改良されている。

便利な「フローティングキーボード」を有効にするとキーボードがスマホサイズに変化し、片方の指だけで楽々と文字入力することが可能だ。フローティングキーボードは自由に動かせるので利き手の使いやすい位置に置こう。特にスマホのフリック操作に慣れている人にとって便利に感じるだろう。小さくなった分アプリを表示するスペースも広がる。

フローティングキーボードとは別に分割キーボードモードというもの存在している。有効にするとキーボードが左右に分割され、画面右側にフリックキーボード、画面左側に変換候補が表示され、ゲームのコントローラーのように文字入力ができるようになる。また、分割キーボードは自由に高さを調整することができる。ただし、分割キーボードはiPad Proでは利用できない。

フローティングキーボード

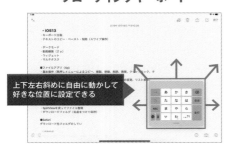

上下左右斜めに自由に動かして好きな位置に設定できる

コンパクトなフローティングキーボード。iPhoneのように文字入力が片手でできる。文字入力以外の箇所も広く閲覧できるようになる。軽い小型のiPadユーザーにおすすめ。

分割キーボード

上下のみ移動できる

iPadOS以前から搭載されていた機能でキーボードを左右に分割し、QWERTY形式のほか、片手で文字入力、左側で変換候補を選択する形式も可能。ゲームのコントローラーのように文字入力をしたい人におすすめ。

両方とも位置を自由な場所に移動できる

自由に移動できる

フローティングキーボード、分割キーボードともに位置を自由に変更できる。ただし分割キーボードの場合は上下移動のみ。

フローティングキーボードや分割キーボードを使ってみよう

1 フローティングキーボードを有効にする

フローティングキーボードを有効にするにはキーボード上でピンチイン。するとスマホサイズのキーボードに変更する。ピンチアウトで元のキーボードに戻る。

ピンチイン

2 好きな場所にキーボードを移動する

フローティングキーボードの下にあるつまみをドラッグして、画面の好きな場所に移動できる。上下左右斜めなど、あらゆる方向に移動できる。

つまみをドラッグして移動

3 テンキーに変更してフリック入力を行う

スマホのフリック入力に慣れている人なら、QuickTypeキーボードからテンキーに切り替えよう。ボタンを上下左右にフリックして素早く入力できる。

フリック入力ができる

テキストの選択・コピペの ジェスチャを覚えよう

iPadOSではテキストの範囲選択やコピー、ペーストといった編集操作も簡単だ。以前までテキストを編集するにはカーソルを指で直接移動させて範囲選択で指定したあと、タップして表示されるメニューからコピーとペースト操作を選択する必要があった。現在のテキスト編集機能ではこれら多くの編集操作がタップジェスチャだけでできる。また、テキスト上を指でタップすると、まとまりのある範囲選択ができる。これらのジェスチャを覚えておけば劇的にテキスト編集作業が楽になるだろう。

カーソル自体も改良され使いやすくなっている。カーソル部分を長押しするとマウス操作のように自由に移動できるようになった。

1
テキスト群を1度タップすると通常のカーソルが表示されるが、2度連続タップすると単語を範囲選択した状態になる。

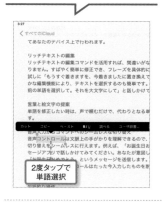

2度タップで単語選択

2
テキストを3度タップするとタップした箇所の一段落分が範囲選択される。

3度タップで一段落を選択

3
範囲選択しない状態で3本指でピンチインすると画面上部に「取り消す」「やり直す」などのメニューが表示される。

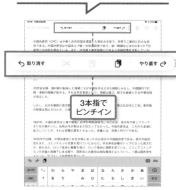

3本指でピンチイン

ここがポイント

外部キーボード接続中は 地球儀キーの ショートカットを使おう

外部キーボード接続中に限り、地球儀キーと各種キーを組み合わせることによりさまざまなiPad操作ができる。ホーム画面への移動、検索、アプリの切り替え、Siriの起動など多くの基本操作が画面にふれずに行えるようになる。AppleのMagic Keyboardやサードパーティ製のキーボードを使っている人は覚えておこう。

地球儀キーを押し続けると利用できるショートカットが表示される。

4
文字列を範囲選択したあと3本指でピンチインするとコピーできる。

3本指でピンチインでコピー

5
ペーストしたい箇所にカーソルをあて、3本指でピンチアウトするとコピーした内容をペーストできる。

3本指でピンチアウトでペースト

6
3本指で右から左へスワイプすると1つ前の操作を「取り消す」ことができる。

3本指で左へスワイプして取り消し

---

4 分割キーボードを 有効にする

分割キーボードを有効にするには、右下のキーボードボタンを長押しして「分割」をタップする。キーボード上で左右にスワイプしても分割できる。ただし、iPad Pro、Airの一部の機種では分割できない場合がある。その場合はフローティングしか選択できない。

長押しして「分割」をタップ

5 分割キーボードを 利用する

キーボードが左右に分割される。日本語テンキーの場合は右側で文字入力をすると左側に変換候補が表示される。

変換候補を選択する

テンキー入力操作ができる

6 キーボードを上下に 移動させる

分割キーボードは上下のみスライド移動させることができる。分割を解除する場合はキーボードボタンを長押しして「固定して分割解除」をタップしよう。

「固定して分割解除」でキーボードを元に戻す

上下にスライドする

入力
INPUT

こんな
用途に
便利!

Apple Pencilでテキストを入力したい人

Apple Pencilとキーボードの切り替えの手間を省くことができる

キーボードでの文字入力が苦手な人

アナログな方法で効率よくテキスト入力できる

テキストの削除や挿入も効率的に行いたい人

キーボードや指で削除部分や挿入部を指定する必要がない

スクリブルの操作を完璧に
マスターしておこう

日本語もほぼ完璧！
かなり精度が高く
実用的に使える

　iPadには、Apple Pencilで手書きした文字を自動でテキストに変換してくれる「スクリブル」機能がある。この機能を使えば、iPadで文字入力を行う際に、毎回オンスクリーンキーボードを開く必要がない。

　ひらがな、カタカナ、漢字を手書き入力すると自動的にテキストに変換してくれる。変換精度は非常に高く、難しい漢字や崩れた汚い文字でもきちんと認識して変換してくれる。

　スクリブルは、テキスト入力できる場所であればほとんどに対応している。届いたメッセージに素早く返信したり、今日することをリマインダーに書き留めたりするときに効果を発揮す

るだろう。なお、テキスト入力場所からはみだしても認識されるので、誤認識されないよう、はっきり書くのがコツだ。

　また、スクリブルは文字を入力するだけでなく、選択した部分を削除したり、指定した部分に新たにテキストを挿入するなど編集機能も搭載している。誤字が発生した場合でも、キーボードの削除キーや戻るキーを押してやり直す必要がない。スクリブルの操作方法を完全にマスターして、Apple Pencilだけで完璧な文字入力ができるようになろう。メモやメールなどのほか、Safariやマップなどで検索ワードを入れるのにとても便利だ。

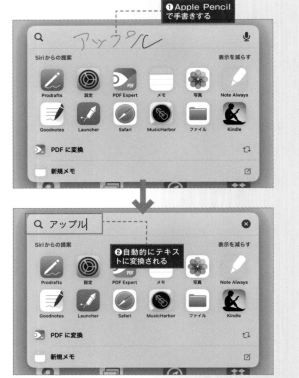

入力フォームなどテキスト入力できる場所ならだいたいは対応している。入力場所からはみだしても認識され、きちんと入力される。

スクリブルを有効にして手書きでメールを作成しよう

1 スクリブルを有効にする

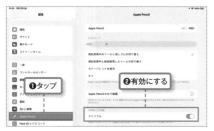

スクリブルを利用するには、iPadの設定画面で「Apple Pencil」を開き、「スクリブル」を有効にしておこう。

2 日本語入力できるようにする

その状態でスクリブルが可能な場合が多いが、できない場合は画面上に現れるスクリブルボタンをタップしてメニューが表示されたら、キーボードボタンをタップし「日本語」にチェックを入れる。

3 入力箇所に手書きする

あとは実際にテキスト入力可能な場所で、Apple Pencilで手書きしよう。自動的にテキストに変換される。

メモアプリの場合は
スクリブル用の
ペンを使おう

一般的な入力フォームでスクリブルを使用する場合は、そのまま手書きするか、iPad画面左下に表示されるスクリブルボタンをタップすれば利用できる。

ただし、メモアプリに付属している「マークアップ」を使う場合は使い方に注意しよう。マークアップ起動中は、ツールバー左端にあるスクリブルペンをタップすると、スクリブルが有効になる。

また、メールアプリや写真アプリなどマークアップをオプション機能として利用するアプリの場合も注意が必要だ。スクリブルからマークアップに変更したい場合は、スクリブルツールバー上にあるマークアップアイコンをタップすると、マークアップモードに変更できる。

メモアプリのマークアップツールでは、通常の手書きを行う場合は真ん中の3つのペンを有効にして利用する。

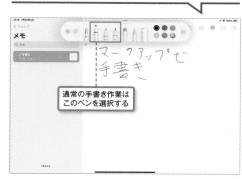

通常の手書き作業はこのペンを選択する

スクリブルを使って手書きした文字をテキストに変換したい場合は、左端の「A」と記載されたペンを有効にして手書きしよう。

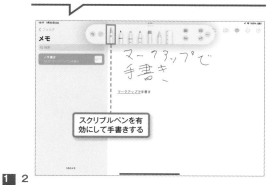

スクリブルペンを有効にして手書きする

1 2
3 4

タップ

メールアプリで、スクリブルからマークアップに変更したい場合は、スクリブルツールバーにあるマークアップアイコンをタップする。

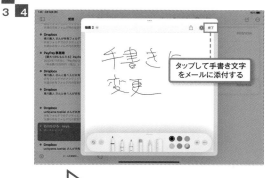

タップして手書き文字をメールに添付する

マークアップ画面が別に表示され、手書き入力ができるようになる。「完了」をタップすると手書き文字がメールに添付される。

ここがポイント

他社製アプリでもスクリブル入力ができる

iPadに標準で搭載されているアプリだけでなく、スクリブル入力に対応している他社製アプリであれば手書きした文字をテキストに変換することができる。たとえば、PDF Expertのメモツール上でApple Pencilで手書き入力すれば、テキストに変換してくれる。ほかに、Goodnotes 6などの手書きノートアプリのテキストツールも対応している。Pages、Numbers、keynoteアプリなどでも利用できる。

---

4 テキストを削除する

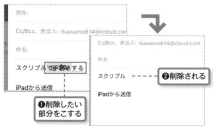

❶削除したい部分をこする

❷削除される

スクリブルはテキストの削除もできる。入力されたテキストを横や縦方向にこすってみよう。軌跡が現れ、軌跡の範囲をきれいに削除することができる。

5 テキストを挿入する

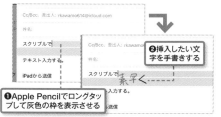

❶Apple Pencilでロングタップして灰色の枠を表示させる

❷挿入したい文字を手書きする

テキストを挿入したい場合は、Apple Pencilで挿入したい場所をロングタップしよう。灰色の枠が現れたら、そこに文字を手書きで書くとテキストに変換され挿入される。

6 テキストの分離と結合を行う

Apple Pencilで縦線を引くと、半角が空き、または詰める

半角スペースを挿入したい場合は、挿入したい場所に縦線を引こう。逆にスペースを詰めたい場合も、空いている場所に縦線を引こう。

入力
INPUT

こんな用途に便利！

キーボードより素早く打てる
キーボードよりも音声入力のほうがはるかに速く入力できる

変換精度が高い
Apple製、Google製ともにどちらも変換精度が高く、打ち直しが少なくてすむ

句読点、改行にも対応
Apple製音声入力アプリは句読点や改行も音声入力で行える

キーボードが苦手なら認識精度抜群の音声入力を使おう

人によってはキーボード入力よりも遥かに素早く入力できる

ソフトウェアキーボードを使って両手で文字入力できるのがiPadのメリットだが、平らな台に設置できる状況でないと入力するのが難しい。外出時に手持ちで入力を行う場合は、音声入力機能を使うのもおすすめだ。

音声入力というと、誤認識が多く、打ち直しが面倒なのではないかと思われるが、iPadの音声入力は認識精度抜群。たとえ誤認識があっても、修正せずどんどん話しかけてみよう。文章全体の文脈に合わせて、あとで自動修正してくれる。誤認識があった場合は、修正箇所を範囲選択しよう。キーボード上部に修正候補が表示され、素早く再変換することが可能だ。指で打つのはもちろんのこと、キーボードよりも素早く入力できる。

最初のうちは、緊張感もあって言葉が上手く口に出ないと思うが、慣れてくれると、考えながら話しつづけていても認識してくれるので、便利に使えるはずだ。

400文字の文章なら約1分で入力可能

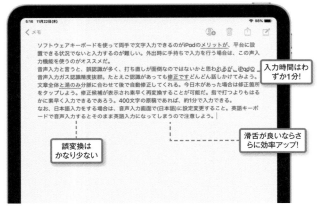

iPadの音声入力で約400文字程度の文章を音声入力した直後の状態の画面。誤変換はかなり少ない。滑舌がよい人であれば、ほぼ修正なしで入力できるはずだ。

誤変換はかなり少ない

入力時間はわずか1分！

滑舌が良いならさらに効率アップ！

1 日本語音声入力を有効にしておこう

❶タップしてオンにする

❷タップ

音声入力言語で日本語を有効にする

「設定」アプリから「一般」→「キーボード」へと進み、「音声入力」を有効にする。「音声入力言語」で日本語にチェックを入れておこう。

2 キーボードにあるマイクボタンをタップ

マイクボタンをタップ

話しかけよう

テキスト入力可能なアプリを起動して、マイクボタンをタップする。音声入力画面に切り替わるので話しかけよう。

句読点や記号を音声入力で入力するには？

1 音声入力中に句読点を入れる

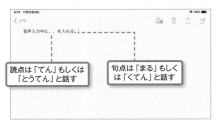

読点は「てん」もしくは「とうてん」と話す

句点は「まる」もしくは「くてん」と話す

音声入力中に句読点を入れるには、句点の場合は「まる」もしくは「くてん」と話しかけよう。読点の場合は、「てん」もしくは「とうてん」と話しかけよう。

2 絵文字も音声で入力できる

顔文字や食べ物などの絵文字も音声で入力できる。「ラーメンえもじ」「怒り えもじ」などのように発音すれば絵文字に変換してくれる。

ラーメン えもじ 🍜
ステーキ えもじ 🍖
笑顔 えもじ 😄
怒り えもじ 😠
スマホ えもじ 📱
りんご えもじ 🍎
すいか えもじ 🍉
ハート えもじ 💙

3 ?や!などの記号を入力する

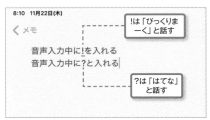

!は「びっくりまーく」と話す

?は「はてな」と話す

音声入力中に記号を入力する場合は、記号名を話しかけよう。!の場合は「びっくりまーく」、?の場合は「はてな」で入力できる。

資料の閲覧などに便利な音声コントロール

音声入力とは別に、音声でiPadを操作する「音声コントロール」機能もiPadには備わっており、こちらも便利だ。「ホームに移動」「Spotlightを開く」などとiPadの前で発音することで、その操作が可能になる。設定は簡単にでき、準備が完了すると、iPadの右上に「音声コントロール」が可能な状態であるアイコンが表示される。

最初は何に使えばいいのか迷ってしまうが、ひとまず誰にとっても一番便利なのは、KindleやPDFを閲覧状態のときに、次のページに飛ばせることだろう。「右にスワイプ」「左にスワイプ」と発音すれば、手はほかの作業をしていてもページを進めることができる。設定アプリには、使えるコマンドが大量に載っているので、自分に便利なコマンドを調べていこう。

「設定」→「アクセシビリティ」→「音声コントロール」で、「音声コントロール」をオンにする（最初は「音声コントロールの設定」と表示されているので、そこをタップ）。

タップして、さらに「音声コントロール」をオンにする（ガイドが表示される場合もある）

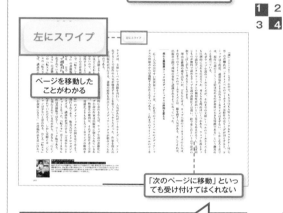

ページを移動したことがわかる

「次のページに移動」といっても受け付けてはくれない

電子書籍アプリやPDFビューア上で「左にスワイプ」「右にスワイプ」を発声すると、ページを移動できる。行われた操作は画面上部に表示される。

画面右上に「音声コントロール」が可能になったアイコンが表示される。「コマンド」をタップすると音声で利用可能なコマンドが大量に表示される。

「音声コントロール」が可能な状態を示す

タップでコマンドの例を表示する

1 2 3 4

上にスクロール

一画面分を上にスクロールできる

ブラウザアプリでスクロールをコントロールするにも便利だ。「上にスクロール」「下にスクロール」で、一画面分をスクロールしてくれる。

音声コントロールを中断するには？

「音声コントロール」状態を中断するには、「スリープ」と発声すればよい。スリープはiPadのスリープ状態ではなく、音声コントロール機能の一時停止をしてくれるだけなので安心だ。再開するときは「聞き取りを開始」または「スリープ解除」と発声すればよい。

中断も再開も音声でコントロールできる。

---

4 文章を改行をして読みやすくする

改行するには「かいぎょう」と話す

改行して文章を読みやすくしたり、段落を区切りたい場合は、「かいぎょう」と話すと次の行に改行できる。

iPadの音声入力での記号入力方法

記号	読み	記号	読み	記号	読み	記号	読み
♪	おんぷ	%	ぱーせんと	＼	ばっくすらっしゅ	←	ひだりむきやじるし
=	いこーる	|	ばいぷ	:	ころん	(	かっこ
ー	はいふん	.	どっと/ぴりおど	;	せみころん	)	かっことじる
#	しゃーぷ	‥	にてんりーだー	・	なかぐろ	「	かぎかっこ
¥	えんまーく	…	てんてんてん	~	ちるだ	」	かぎかっことじる
$	どるまーく/どるきごう	※	こめじるし	+	ぷらす	{	ちゅうかっこ
&	あんど/あんばさんど	①	まるいち	→	やじるし	}	ちゅうかっことじる
@	あっとまーく	②	まるに	↑	うわむきやじるし	*	あすてりすく
／	すらっしゅ	◇	ひしがた	↓	したむきやじるし	◎	しょうひょうきごう

こんな
用途に
便利！

デザイン、ビジュアル性に優れたノートを作成したい
ペンの種類やカラーのカスタマイズ性が高く、色の調整がしやすい

効率的にノートを作成したい
テンプレート数が豊富で、ビジネスや学習など用途に合わせた用紙設定ができる

AI機能搭載の別バージョンもあり
Noteshelf 3にはAI機能が多数搭載されておりメモの入力が楽

キメ細かくキレイな手書きノートを作成できる「Noteshelf」

さまざまな部分をカスタマイズできる人気のノートアプリ！

Noteshelfは、Goodnotes 6と並んで人気の高いノートアプリ。洗練されたインターフェースで多機能ながらも、非常に使いやすいのが特徴で、フォルダ管理ができない点以外は、Goodnotes 6とほとんど変わらない。

Noteshelfが優れているのはペンの種類が豊富なことだ。万年筆、ボールペン、鉛筆、シャープペンと、2種類の蛍光ペンを備え、各ペンの太さは最大9段階に調節できる。カラーを自由にカスタマイズできる点はGoodnotes 6と同様だが、Noteshelfでは独自の「パレット」という機能があり、美しい発色のカラーが事前に用意されてい

る。さらに、作成したカラーとペンの組み合わせはお気に入りに登録し、「お気に入りツールバー」を表示させることで、素早くペンを切り替えることができる。

また、インターフェースのカラーをカスタマイズできる点も特徴的で、標準でのホワイトのほか、目に優しいダークモードやアクア、ブラウン、グリーンなどさまざまなカラーが用意されている。

カラフルでビジュアル的に美しいノートを作成したい方には、カスタマイズ性の高いNoteshelfがおすすめだ。

作者／Fluid Touch Pte. Ltd.
価格／1,500円
カテゴリ／仕事効率

Noteshelf

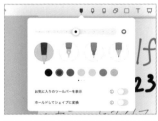

よく利用するペンとカラーの組み合わせは「お気に入り」に保存することができる。

カラーカスタマイズ画面で「パレット」タブを開くと、美しい発色のカラー設定があらかじめ用意されている。

NoteshelfとGoodnotes 6の比較表

	Noteshlef	Goodnotes 6
インターフェース・使いやすさ	★★★★	★★★★★
ペンの種類や機能	★★★★★	★★★
消しゴム	★★★★★	★★★
テンプレートの豊富さ	★★★★★	★★★★
ノート管理機能	★★★	★★★★★
投げ縄ツール	★★★★	★★★★
図形作成	★★★★	★★★★
	30点	28点

インターフェースの使いやすさやノートの管理機能は劣るものの、そのほかの機能はNoteshelfが優れており、総合評価ではNoteshelfが上回る（著者による採点）。

Noteshelfのペンやインターフェースをカスタマイズしよう

1 ペンを選択する

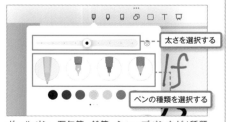

太さを選択する

ペンの種類を選択する

ボールペン、万年筆、鉛筆、シャープペンなど4種類のペンと2種類の蛍光ペンが用意されている。ペンは太さを段階的に調整できる。

2 カラーをカスタマイズする

❶「カスタム」を選択する

❷カラーを選択する

ペン設定画面でカラーをタップするとカラーカスタマイズ画面が表示される。「カスタム」からカラーコードを自分で指定して追加することができる。

3 「パレット」からカラーを選択する

「パレット」をタップ

「パレット」タブを開くと、ほかのユーザーが作成したきれいな発色のカラーを利用できる。Noteshelf独自の機能だ。

優れたテンプレートが豊富に揃っているのもNoteshelfの特徴

　Noteshelfの魅力は、豊富なテンプレートの種類にもある。ベーシックな無地や罫線入りの用紙に加え、レターサイズや標準A4など40種類以上の用紙が無料で提供されている。また、ビジネス向けや学生向けなどユーザーの性質に合わせて分類されており、効率化を図るためのテンプレートもある。表紙のテンプレートも非常にデザイン性が高く、多数の豊富な選択肢がある。

　さらに、テンプレート画面右上にあるショップアイコンをタップすることで、無料でさらに多彩なテンプレートをダウンロードできる。また、オリジナルのテンプレートを自分で追加することも可能だ。Noteshelfは、メモした内容をきれいに整理するために最適なノートアプリだ。

新しいノート追加ボタンをタップすると、表紙と用紙の設定画面が表示される。設定する項目をタップしよう。

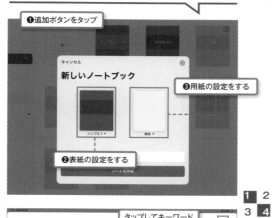

❶追加ボタンをタップ

キャンセル

新しいノートブック

❸用紙の設定をする

シンプル1 ▾　　　無地 ▾

❷表紙の設定をする

ノートを作成

さらに、多くのテンプレートが表示される。タップするとiPadにダウンロードされる。右上の検索ボタンからキーワードでテンプレートを探すこともできる。

タップしてキーワードでテンプレートを探す

さまざまなテンプレート画面が表示され、タップすると適用される。ほかのテンプレートを探したい場合は右上のショップアイコンをタップ。

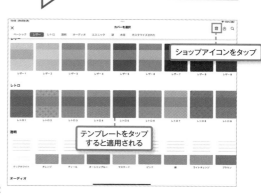

ショップアイコンをタップ

テンプレートをタップすると適用される

```
1  2
3  4
```

用紙のテンプレート設定画面では、左上のメニューを開くと、利用している端末に合わせた用紙を選ぶこともできる。用紙のカラーも変更できる。

❶メニューをタップして端末を指定する

❷カラーを変更する

4　いつも使うペンはお気に入りに登録する

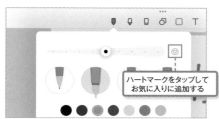

ハートマークをタップしてお気に入りに追加する

いつも使うペンとカラーの組み合わせはお気に入りに追加しよう。ペンとカラーの設定後、右上のハートマークをタップしよう。

5　お気に入りのツールバーを表示する

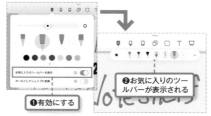

お気に入りのツールバーを表示

❷お気に入りのツールバーが表示される

❶有効にする

「お気に入りのツールバーを表示」を有効にすることで、お気に入りツールバーが表示され、お気に入りに登録したペンとカラーの組み合わせが表示される。

6　インターフェースのカラーを変更する

❶設定アイコンをタップ

❷「外観」からカラーを指定する

外観

書類画面にある設定アイコンをタップして表示されるメニューから「外観」をタップするとNoteshelfのインターフェースのカラーを変更できる。

入力
INPUT

こんな
用途に
便利!

効率よく情報を整理したい

付箋やテキストボックスなどは好きな位置に移動可能!

2つのメモを同時にチェックしたい

「マルチメモ」機能で2画面分割可能。メモ内容を見比べることができる

議事録をスムーズに作成する

録音しながらメモができて文字起こしまで完結!

録音+文字起こし! 独特の便利機能を誇る 手書きノート「Notability」

手書きだけの性能でも 注目すべき ノートアプリ

便利な手書きノートアプリは? と聞かれると、「Notability」は欠かせない。Goodnotesが優れているのは確かだが、こちらも比較検討した方が良いソリューションだ。

Notabilityといえば、やはり音声録音機能が注目される。音声とメモを同時に取れるため、議事録を録音しながらメモするなど、ビジネスシーンを中心として広く活用されてきた。

さらには録音した音声データ

からの自動文字起こし機能も加わった。日本語音声にも対応しており、精度もなかなかのもの。おかげで、手書きメモ+音声メモ+文字起こしという、議事録の作成がこのアプリだけでほぼ完結できるのが素晴らしい。

加えて、豊富なテンプレートや付箋機能、カメラからの書類取り込み、Webページのスクラップなど機能も豊富。アプリ内で2画面でメモを並べるといった分割表示にも対応しているため、情報の整理整頓能力が非常に高い。フル機能を使うには、年額2,200円と、かなりのコストだが、議事録や打ち合わせの綿密な記録をキッチリと残したい人なら、GoodnotesやNoteshelfより一歩優れた方法だといえる。

作者／Ginger Labs
価格／無料（※App内課金あり）

Notability

※サブスクリプションは、月額700円、年額2200円からとなる。

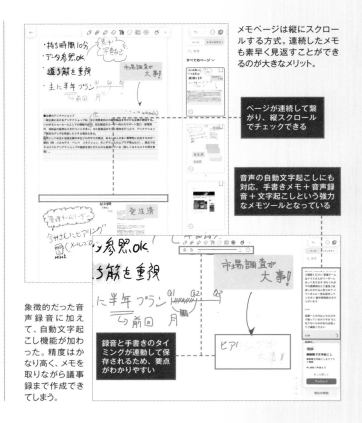

メモページは縦にスクロールする方式。連続したメモも素早く見返すことができるのが大きなメリット。

ページが連続して繋がり、縦スクロールでチェックできる

音声の自動文字起こしにも対応。手書きメモ＋音声録音＋文字起こしという強力なメモツールとなっている

象徴的だった音声録音に加えて、自動文字起こし機能が加わった。精度はかなり高く、メモを取りながら議事録まで作成できてしまう。

録音と手書きのタイミングが連動して保存されるため、要点がわかりやすい

手書きのマスト機能と音声録音

1 お気に入りペンの登録

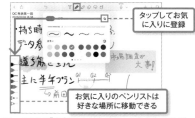

タップしてお気に入りに登録

お気に入りのペンリストは好きな場所に移動できる

ペンツールでは「お気に入り」ボタンからお気に入りのペンリストに追加可能。素早く切り替えることができる。

2 描画の選択と移動

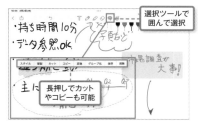

選択ツールで囲んで選択

長押しでカットやコピーも可能

描画したオブジェクトは、選択ツールで囲むことで選択、ドラッグで移動可能。長押ししてコピーやカットも可能だ。

3 録音しながら メモを取る

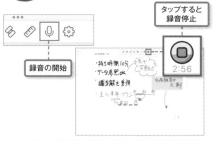

タップすると録音停止

録音の開始

ツールバーの「録音」ボタンをタップすると録音開始。メモを取りながらマイクで音声を録音できる。

Notabilityで注目すべきは情報整理機能!

Notabilityを使いこなすにあたり、押さえておきたい機能がテキスト入力と付箋の使い方。

テキストボックスはキーボードでの入力に加えて、iPadOSのスクリブル機能にも対応している。日本語認識能力も高いので、キレイに清書したい場合に利用していこう。

注目したいのは、情報整理の効率の良さだ。テキストボックスは、付箋のように背景を変更できる。手書きとも共存するため、書き込んだままでノートの好きな位置に移動も可能だ。

ほかにも豊富なテンプレートによってToDoリストやスケジューラーのように利用できたり、カメラから書類を取り込めたりと、情報の整理整頓に有利な機能が備わっている。手書きのメモとしてだけでなく、アイデアノートや勉強のためのツールとしても役立つので、ぜひ一度触れてみよう。

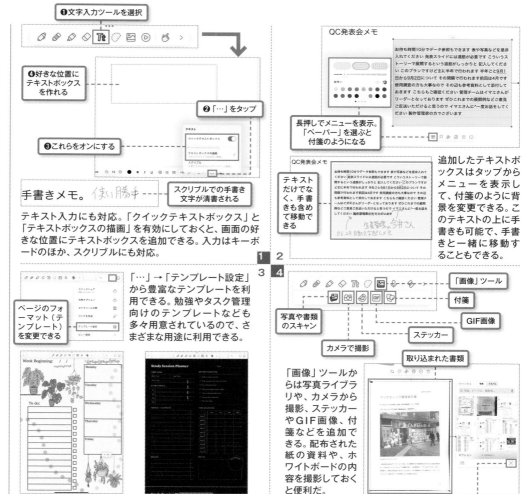

❶文字入力ツールを選択

❹好きな位置にテキストボックスを作れる

❷「…」をタップ

❸これらをオンにする

手書きメモ。

スクリブルでの手書き文字が清書される

テキスト入力にも対応。「クイックテキストボックス」と「テキストボックスの描画」を有効にしておくと、画面の好きな位置にテキストボックスを追加できる。入力はキーボードのほか、スクリブルにも対応。

ページのフォーマット（テンプレート）を変更できる

「…」→「テンプレート設定」から豊富なテンプレートを利用できる。勉強やタスク管理向けのテンプレートなども多々用意されているので、さまざまな用途に利用できる。

長押しでメニューを表示。「ペーパー」を選ぶと付箋のようになる

テキストだけでなく、手書きも含めて移動できる

追加したテキストボックスはタップからメニューを表示して、付箋のように背景を変更できる。このテキストの上に手書きも可能で、手書きと一緒に移動することもできる。

「画像」ツール

付箋

GIF画像

写真や書類のスキャン

カメラで撮影

ステッカー

取り込まれた書類

「画像」ツールからは写真ライブラリや、カメラから撮影、ステッカーやGIF画像、付箋などを追加できる。配布された紙の資料や、ホワイトボードの内容を撮影しておくと便利だ。

紙の資料の取り込みは「写真や書類のスキャン」ボタンから「スキャン」ボタンをタップしてカメラで撮影する

ここがポイント

手書きメモでもキーワードで検索できる

あまり知られていないが、NotabilityはOCR機能も強力。手書き文字でもキーワード検索が行える。検索はページリストに表示される検索欄に入力。該当するページがピックアップされ、文字にはハイライトが加えられる。議事録のメモや講義の板書を見返すなど、仕事や学習で活躍する機能だ。

手書きを認識してハイライトされる

録音した音声の自動文字起こしがスゴイ!

4 文字起こしを確認する

❷タップ **❶タップ**

録音の再生ボタンからも表示可能

録音から自動文字起こしされたテキスト

ツールバーの「再生」ボタン。もしくは画面右上の「ページ」ボタン→「トランスクリプション」から、自動文字起こしされたテキストを確認できる。

5 テキストとしてコピペもOK

テキスト形式で貼り付けられる

長押ししてコピー可能

文字起こしを長押しすると、コピーしてテキスト形式でノート面に貼り付けることもできる。

6 キーワード検索が更に便利になる

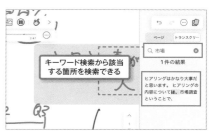

キーワード検索から該当する箇所を検索できる

文字起こし欄上部からキーワード検索も可能。会議やスピーチの中から特定の内容を探し出しやすくなる。

こんな用途に便利！

ノート整理の効率化
複数のレイヤーを重ねることで、新たなページを作成せずに情報を簡潔にまとめられる

ジャンルごとにノートを整理
レイヤーごとに表示・非表示が選択できるため、異なるジャンルの情報を整理できる

タグを使ったノート管理
複数のタグを1つのノートに割り当てられるので、ノートを複数の観点で分類できる

レイヤーも使える！
個性的な手書きノート「Noteful」

レイヤーを使って仕事のプロジェクトを俯瞰しよう

「Noteful」は、レイヤー機能を巧みに搭載した数少ないノートアプリだ。このアプリでは、1枚のページ上に複数のレイヤーを重ねて利用することが可能で、その利点は非常に多岐にわたる。

レイヤーを駆使することで、新たなページを作成せずに情報を1枚のページに簡潔にまとめることができる。情報を探す手間を大幅に軽減し、クリエイティブな作業やプロジェクトの管理がスムーズに行えるだろう。

特筆すべきは、レイヤーごとに表示・非表示が可能であることだ。例えば、仕事、プライベート、趣味など異なるジャンルごとにレイヤーを作成し、必要ない情報は非表示にすれば、余計なものが目に入ることなくクリーンな状態を保つことができる。ページをスクロールする手間も省け、ノートを切り替えるよりも手軽に入力情報を管理できる。

さらに、レイヤーの編集機能が非常に充実している。投げ縄ツールを用いて情報を指定したレイヤーに移動させたり、レイヤーの並び順を自由に入れ替えることができる。また、複数のレイヤーを一つに合成することも可能で、バラバラに分割した情報を後でまとめ上げることが容易だ。作成したノートはフォルダを使って管理でき、全体的にGoodnotesとよく似た仕様になっている。

ただし、検索機能がほかのノートアプリと比べて十分でなく、手書き文字やノート内の情報を検索できないのが課題だ。検索はノートタイトルに限られている。さらに、ノートのURLを共有することができないため、共同作業を希望する人にとっても少し不便だ。

作者／Noteful Technologies Ltd
価格／無料（プレミアム版: 700円）

Noteful

レイヤーの構造

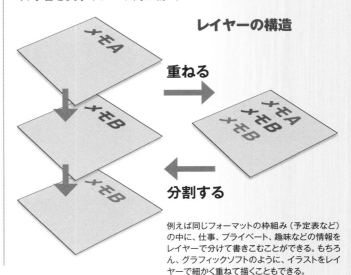

重ねる

分割する

例えば同じフォーマットの枠組み（予定表など）の中に、仕事、プライベート、趣味などの情報をレイヤーで分けて書きこむことができる。もちろん、グラフィックソフトのように、イラストをレイヤーで細かく重ねて描くこともできる。

Notefulのレイヤー機能で情報を整理しよう

1 ノートを作成する

❷ノート名を入力

❸ノートの種類を指定する

❶追加ボタンをタップ

Notefulを起動したらまずはノートを作成しよう。右下にある追加ボタンをタップして、新規ノート作成画面でノート名と紙の種類を指定して「作成」をタップ。

2 ツールバーを使ってメモを書く

ツールバー

画面左端に設置されているツールバーからツールを選択してノートを作成しよう。利用できるツールやアイコンはほかのノートアプリとよく似ているので、初めてでも直感的に利用できるだろう。

3 レイヤーを追加する

❶タップ

❷「追加」をタップ

レイヤー機能を利用するには、画面右上にあるレイヤーボタンをタップする。「追加」をタップするとレイヤーが追加される。

タグを使って
ノートを管理しよう

Notefulはノートを効果的に管理する強力なタグ付け機能がある。ノートブックには「#○○」という形式でタグをつけることができ、書類画面にあるタグリストから素早く目的のノートを見つけることができる。タグは一冊のノートに対して何個でも追加でき、柔軟性が高いのが特長だ。

さらに、タグを使いすぎてタグリストが乱雑になってしまった場合も安心。Notefulではタグを「親タグ/小タグ」という形式で入力することで、タグをグループ化し階層表示できる機能がある。この機能を使えば、関連するタグをまとめて整理することができ、スッキリとした管理が可能だ。例えば、仕事関連のノートには「#仕事A/プロジェクト1」といった形でタグをつけることで、仕事Aに関連するタグを一括して管理することが可能だ。

タグをつけるノートを開き、ツールバーから追加ボタンをタップし、「タグ」をタップ。

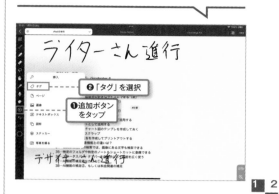

❶追加ボタンをタップ
❷「タグ」を選択

タグ作成画面が表示される。入力ボックスにタグ名を入力しよう。「#」は自動的に付与されるので、「#」以下の文字を入力しよう。

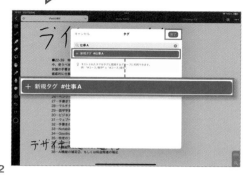

＋新規タグ #仕事A

1 2
3 4

ノート内に複数のタグをつける場合は、タグを「親タグ/小タグ」という形式で入力することで、タグリストが見やすくなる。

❶親タグを入力
❷「/」（スラッシュ）で区切って小タグを入力

書類画面に戻るとサイドバーにタグリストが作成される。タグをタップすると該当するノートが表示される。

「ここがポイント」

暗記学習にも
レイヤー機能は便利

Notefulのレイヤー機能は、暗記学習において優れたアシスタントアプリになる。例えば、問題文のレイヤーと解答のレイヤーを分けて作成することで、情報を効果的に整理することが可能だ。問題文のレイヤーを最初に表示し、その後、解答レイヤーで確認したり非表示にしたりすることで、自己テストや赤シート勉強法のような効果的な学習手法を模倣することができる。単なる情報の記憶だけでなく、理解を深め、知識をより身につけるのにもレイヤー機能は役立つ。

ページ内に問題文のレイヤーと解答のレイヤーを作っておこう。

---

4 レイヤー機能を使いこなそう

編集ボタン
表示・非表示ボタン
長押ししてレイヤーの順番を変更
レイヤー名の変更やレイヤーの結合

レイヤー右端の「…」をタップすると名称変更や結合が行える。非表示にしたい場合は目玉ボタンをタップ。ノートを編集したいレイヤーがある場合は左端の編集ボタンをタップ。

5 投げ縄ツールでレイヤーを編集する

❶投げ縄ツールを選択
❷対象を囲い込んでメニューから「レイヤーに移動」を選択

ノート上の一部をほかのレイヤーに移動させたい場合は、投げ縄ツールで囲い込み、メニューから「レイヤーに移動」を選択し、移動先のレイヤーを指定しよう。

6 ページごとにレイヤーは作られる

特定のレイヤーの内容だけを消去したい場合は「クリア」から「このページのみ」を選択

ページを追加すると、そのページ上のレイヤーも新しくなる。ただし、レイヤーを削除するとほかのページのレイヤーも削除されてしまう。「クリア」を選択すればそのレイヤーの内容だけ消去できる。

こんな用途に便利！

自由なキャンバスサイズ
アイデアの展開やマインドマップ、ブレインストーミングが柔軟かつ効果的に行える

多彩なメディアの統合
情報を豊富に統合し、ノートをより具体的かつ情報量豊富なものにすることができる

リアルタイム共同作業
友達や同僚と効率的なアイデアの共有と展開ができる

無制限にメモが取れる Apple純正アプリ「フリーボード」

自由度の高い手書きノートアプリでアイデアを思いのままに！

「フリーボード」は、思いついたアイデアを手軽にメモするために最高の手書きノートアプリだ。キャンバス（ボード）上ならどこでも指先、またはApple Pencilを使って自由自在に描くことができる。

このアプリの最大の特徴は、キャンバスのサイズに制限がないことだ。通常のノートアプリでは、書き足す余地がなく、新しいページを作る必要があったり、文字全体を縮小して余白を作らないといけないことがある。しかし、フリーボードではキャンバスのサイズに制限がなく、上下左右に自由自在に拡大できるため、マインドマップやブレインストーミングなどアイデア展開に最適だ。iCloudでデバイス間の同期も可能なので、MacやiPhoneでも手軽にアイデアを共有することができる。

手書きメモ以外にも、写真、ビデオ、オーディオ、書類、PDF、Webリンク、付箋なども追加できる。また、700以上の図形ツールを含む豊富なブラシツールが用意されており、思い通りの図が作れ、配置ガイドを使って外観を整えることができる。

さらに、このアプリには共有機能もあり、友達や同僚を招待して最大100人までリアルタイムで共同作業ができる。

作者／Apple
価格／無料

フリーボード

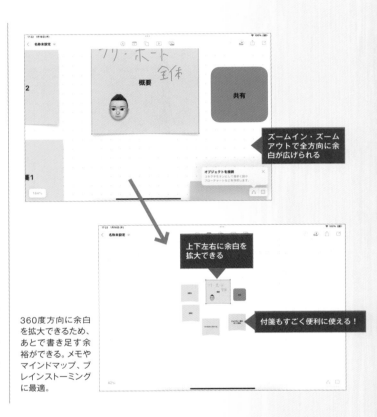

ズームイン・ズームアウトで全方向に余白が広げられる

上下左右に余白を拡大できる

付箋もすごく便利に使える！

360度方向に余白を拡大できるため、あとで書き足す余裕ができる。メモやマインドマップ、ブレインストーミングに最適。

フリーボードの基本操作をマスターしよう

1 指を使ってキャンバスを操作する

2本の指でスライドしてスクロール

ピンチイン・アウトで拡大縮小

キャンバス上でピンチイン・アウトをするとキャンバスを拡大縮小できる。余白を増やすだけでなく全体を俯瞰したり、詳細を見たいときに利用しよう。

2 ペンツールを使う

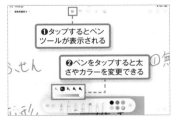

❶タップするとペンツールが表示される

❷ペンをタップすると太さやカラーを変更できる

メモをする際は、上部メニューにあるペンマークをタップしよう。さまざまなペンが表示されるので、使いたいペンと色を選択し、指先やApple Pencilで手書きの線を描こう。

3 写真やビデオを貼り付ける

❶挿入ボタンをタップ

❷「写真またはビデオ」を選択

写真やビデオを挿入することもできる。ボード右上の挿入ボタンをタップして表示されるメニューから「写真またはビデオ」を選択しよう。

高機能な付箋機能を使いこなそう

フリーボードでは、ほかのノートアプリではあまり見かけない付箋機能があるのも特徴だ。ボードの好きな場所にはりつけることができ、サイズを変更することができる。また、ダブルタップすると付箋上にテキストを入力することができる。付箋を移動する際はテキストも一緒に移動させることができるので、複数のアイデアやメモをパーツのように並び替えたいときに便利だ。付箋を一度タップすると背景色やテキストのスタイルを編集できるほか、コピー、カット、ペーストなどもできる。

付箋の上には、テキストだけでなく、手書き文字や写真などを重ねることもできるので、より詳細な情報を追加できる。例えば、手書きのイラストを付箋に追加することで、アイデアのイメージを表現したり、写真を添付することで、視覚的に情報がわかる。

ボードに付箋を追加するには上部メニューから付箋ボタンをタップする。ボード上に付箋が表示される。ドラッグして好きな場所に付箋を移動できる。

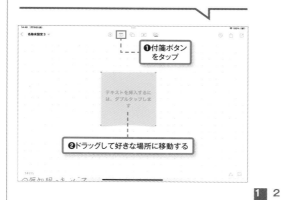

❶付箋ボタンをタップ

❷ドラッグして好きな場所に移動する

付箋をダブルタップすると付箋にテキストを入力できる。入力されたテキストは付箋を移動すると一緒に移動する。

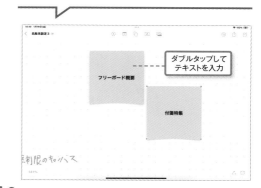

ダブルタップしてテキストを入力

1 **2**
3 **4**

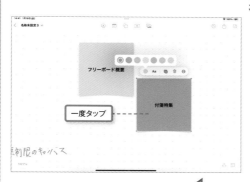

一度タップ

付箋を一度タップすると編集メニューが現れる。付箋のカラー、テキストスタイルの変更、付箋のコピー、削除などが行える。

❶グループ化する部分をドラッグで範囲指定する

❷グループ化ボタンをタップ

付箋の上に直接手書きでメモを入力したり、写真を挿入することもできる。テキストのように付箋移動時に一緒に移動させたい場合はグループ化しよう。

ここがポイント

タイムスケジュール管理に活用しよう

フリーボードの活用方法としてタイムスケジュールやタスクの管理がおすすめだ。付箋ごとに「今日やるべきこと」を入力してリストを作成し、それらを時系列で並び替えるといいだろう。もし、タスクの時間に変更があったときでも、指で付箋の長さを調節すればよい。タスクごとに付箋のカラーを統一すれば、より管理しやすくなるだろう。

❷カラーを変更する

❶付箋の長さを調節する

タイムラインにあわせて、付箋の長さを調節して配置しよう。内容ごとにカラーを変更すれば管理しやすくなる。

---

4 図形ツールを使おう

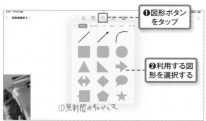

❶図形ボタンをタップ

❷利用する図形を選択する

ボード上部メニューにある図形メニューをタップ。利用したいカテゴリと実際に利用する図形を選択しよう。ここでは「基本」から線ツールを選択する。

5 線をドラッグして長さや角度を調節する

先端をつまんでドラッグすると長さや角度を調節できる

線の中心をドラッグすると移動。先端をつまむと長さや角度を調節できる。調節中に線の角度や長さをポップアップで表示してくれる。

6 線のスタイルや太さを変更する

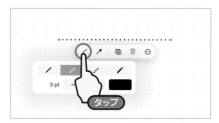

タップ

線のスタイルを変更するには、線をタップして表示されるメニューからスタイルボタンをタップ。線の種類、太さ、カラーなどを変更できる。

入力
INPUT

こんな
用途に
便利！

垂直無限キャンバス
手書き形式でブログやPDF、ワードのように情報を整理し、上下スクロールで閲覧できる

充実した基本ツール
多岐にわたる基本ツールを利用してメモやイラストを作成できる

「パネル」と呼ばれる独自の機能
複雑な情報を視覚的に整理し、効果的に共有できる

より高機能な無限ノート「Prodrafts」もおすすめだ!

ブログのように下方向に無制限にメモが取れる

「Prodrafts」は、フリーボードと同じく、1つのキャンバスに無制限にメモを取ることができるノートアプリだ。メモを取りながらページの境界に気を配る必要がなく、360度の方向に余白を追加することができる。

さらに、Prodraftsでは、通常の無限キャンバスに加えて、「垂直無限キャンバス」と呼ばれるモードが用意されている。このモードでは、横幅は通常のノートサイズと同じく固定され

ているが、下方向に向かって無限に余白を取ることができる。手書き形式でブログやPDF、ワードのように情報を整理して上下スクロールで閲覧したい人におすすめだ。

Prodraftsは非常に充実したノートアプリで、ペン、蛍光ペン、鉛筆、定規、投げ縄（スプール）、図形など、さまざまな基本ツールがほぼ網羅されている。作成したノートはフォルダを活用して、階層的に整理・管理することができ、また、オリジナルのペンツールだけでなく、Apple純正のペンツールも使用できる。他の有名ノートアプリやメモアプリからProdraftsに乗り換えたユーザーも、自分にとって馴染み深いツールを使いながら新しいアプリにスムーズに適応することができるのが特徴だ。

作者／EMMO Corp.
価格／無料（有料版：1,200円）

Prodrafts

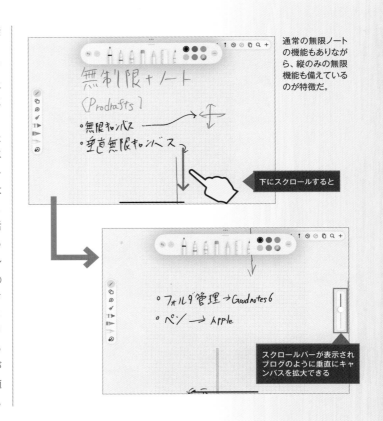

通常の無限ノートの機能もありながら、縦のみの無限機能も備えているのが特徴だ。

下にスクロールすると

スクロールバーが表示されブログのように垂直にキャンバスを拡大できる

Prodraftsの基本操作をマスターしよう

1 キャンバスの種類を選択する

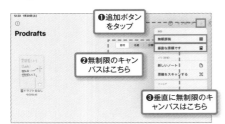

❶追加ボタンをタップ
❷無制限のキャンバスはこちら
❸垂直に無制限のキャンバスはこちら

Prodraftsを起動したら、右上の追加ボタンをタップ。通常の無制限のキャンバスを利用する場合は「無限原稿」を選択。垂直型の無限原稿を利用するなら「垂直な原稿です」を選択しよう。

2 ペンの太さや種類を選ぶ

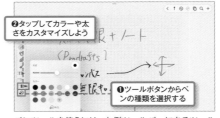

❷タップしてカラーや太さをカスタマイズしよう
❶ツールボタンからペンの種類を選択する

ペンツールを使うには、左側ツールバーにあるツールボタンをタップして利用するペンの種類を選択する。ペンをタップしてカラーや太さをカスタマイズしよう。

3 Apple純正のペンツールを利用する

❷「オリジナルペンを表示」を有効にする
❶タップ

Apple純正のペンツールを使う場合は、ツールバー一番上の設定ボタンをタップして、「オリジナルペンを表示」を有効にしよう。

パネル機能を使って
情報を細かく整理しよう

　Prodraftsには、「パネル」と呼ばれる独自の機能がある。これはキャンバス上にメモ用紙を重ねて追加できる便利な機能で、フリーボードの付箋機能と共通している点があるが、パネルはその自由度が高く、好きな場所に配置したり、サイズを自由にカスタマイズしたりできる。パネルを動かすと、手書きで入力した内容も一緒に移動するため、グループ化する手間がないのが非常に便利だ。

　パネルはまた、レイヤー機能ともよく似ており、タップすると表示されるメニューからパネルの重ね順を変更したり透過性を調節したりすることができる。複数のパネルを組み合わせて複雑な情報を視覚的に整理するときに便利だ。ただし、パネルを移動すると、階層に関係なくパネル上の手書き文字が移動するなど使いにくさがある。また、一部のメニューが中国語になっている点もあり、今後の改善が期待されている。

パネルを追加するには、右上の追加ボタンから「アートボードを挿入」をタップ。挿入するアートボードの種類を選択しよう。

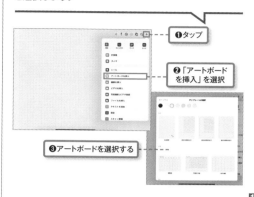

❶タップ

❷「アートボードを挿入」を選択

❸アートボードを選択する

追加したパネルを一覧表示するには、右上のパネルボタンをタップしよう。キャンバス上にあるパネルが表示される。

キャンバスにパネルが表示される。移動したい場合はタップして周囲に青枠が表示されたらドラッグしよう。パネル上にある手書き文字も一緒に移動する。

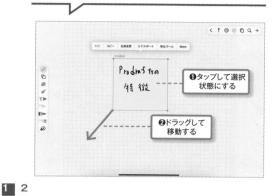

❶タップして選択状態にする

❷ドラッグして移動する

| 1 | 2 |
| 3 | 4 |

「…」をタップ

各パネルを外部に出力するには、右下のメニューボタンをタップ。画像やPDFで出力できるほか共有リンクを作成して公開することもできる。

---

4 投げ縄ツールを使う

❶「スプール」を選択

❷囲い込んでタップ

投げ縄ツールを使うには、ツールバー一番下のツールボタンをタップして、「スプール」を選択しよう。編集したい部分を囲い込んでタップするとメニューが表示される。

5 図形ツールを使う

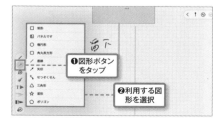

❶図形ボタンをタップ

❷利用する図形を選択

図形ツールを使うには、ツールバーの上から二番目の図形ボタンをタップ。描きたい図形を選択してキャンバスをなぞると図形をきれいに描ける。

6 オブジェクトを挿入する

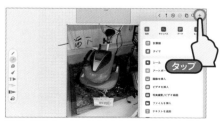

タップ

写真、動画、シール、テキストなどさまざまなオブジェクトを挿入したい場合は、右上の挿入ボタンをタップしてカテゴリをタップしよう。

こんな用途に便利！

無料でPDFに注釈を入力したい

基本的な注釈機能だけであれば無料で便利なアプリがたくさんある

入力された注釈を一覧表示できる

注釈のつけられたPDFをチェックする際、確認を漏らすことがない

Adobe製と互換性が高いので安心

Adobe純正アプリと互換性の高いPDFアプリなので表示エラーが発生しづらい

無料で使えるPDF注釈ツールはどれがおすすめ？

安定性で選ぶならAdobe純正のPDF注釈アプリがおすすめ

PDF注釈アプリといえばPDF Expertが有名だが無料で利用できる機能は限られている。ほかにも無料で使えるPDF注釈アプリはたくさんある。動作の安定性や注釈エラーが起こりづらいものを選択するならAdobe純正の「Adobe Acroboat Reader」を使おう。

Adobe Acrobat Readerは、PDFファイルにApple Pencilを使って手書きのドローイングで修正指示を入れることができるアプリ。ハイライト、アンダーライン、取り消し線、メモの追加などの定番と呼べる注釈機能はすべて利用することができる。

Adobe純正なのでデスクトップPCで注釈を入れたPDFを開いた場合でも、エラーになることがなく、きちんと注釈リストを表示してくれる。大事なクライアントとPDF修正のやり取りをする際には欠かせない信頼性の高いアプリといえるだろう。DropboxやGoogleドライブなどのクラウドストレージに接続してファイルを直接読み込むことも可能だ。

また、有料版のAdobe Acrobat Premium（7,500円/年額）では、PDF内容の直接編集、PDF形式での書き出し、ファイル結合、圧縮、ページの並べ替えなども行える。

作者／Adobe Inc.
価格／無料

Adobe Acrobat Reader

●PDFへの基本的な注釈

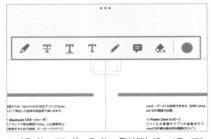

ハイライト、アンダーライン、取り消し線、メモ、アンダーラインや取り消し線へのメモ、ドローイングなど。

●注釈一覧表示

自分でつけた注釈、相手がつけた注釈のどちらも一覧表示ができる。

●クラウドストレージとの連携

Dropbox、Googleドライブ、OneDrive、Document Cloudなどのサービスと連携できる。

Adobe Acroboat Readerを使ってみよう

1 PDFファイルを開く

PDFを開くには、起動したら下部メニューから「ファイル」を選択する。左の「場所」画面から読み込み先を選択しよう。DropboxやGoogleドライブのほか「その他のファイルを参照」からiCloud Driveにアクセスできる。

2 PDFを開いたら注釈メニューを表示する

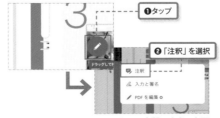

Adobe Acrobat ReaderでPDFを開いたら、右下にある編集ボタンをタップする。メニューが表示されたら、「注釈」を選択しよう。

3 注釈ツールを使って注釈を入力する

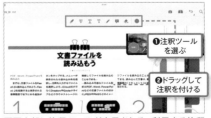

画面上部に注釈ツールが表示される。利用する注釈ツールを選択して、注釈を入力していこう。

無料でページの並べ替え 追加、抽出ができる PDF Viewer Pro

PDF ExpertやAdobe Acrobat Readerは、安定性が高いものの、注釈以外の機能の多くは有料で値段も決して安いものではない。無料でPDFのさまざまな編集をするなら「PDF Viewer Pro」を使おう。ハイライト、アンダーライン、取り消し線など基本的な注釈入力機能が利用できるほか、入力された注釈を一覧表示できる。

ほかのアプリと異なるのは、無料でページをサムネイル表示してページの並べ替え、指定したページの抽出、回転、コピー、削除などが行えることだろう。編集機能など高度な機能が必要ないユーザーにおすすめだ。

作者／PSPDFKit GmbH
価格／無料
有料版は3ヶ月/800円より

PDF Viewer Pro by PSPDFKit

PDF Viewer ProでPDFを読み込んだら、右上の注釈ボタンをタップ。左にツールバーが表示されるので、利用するツールを選択して注釈を行おう。

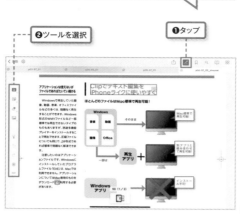

❶タップ
❷ツールを選択

❶タップ
❷編集ボタンをタップ

PDFのページを一覧表示するには右上のサムネイルボタンをタップ。ページが一覧表示される。続いてページを編集するには編集ボタンをタップする。

アンダーラインや取り消し線を入力する場合は、マーカーボタンをタップして、対象部分をマーカーで塗ったあとタップしてメニューから「入力」を選択しよう。

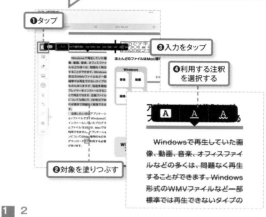

❶タップ
❸入力をタップ
❹利用する注釈を選択する
❷対象を塗りつぶす

1 2
3 4

❷操作を選択する
❶チェックを付ける
ドラッグして並べ替える

編集画面になる。ページを並べ替えしたい場合はページをドラッグしよう。抽出、回転、コピー、削除をする場合は、対象のページにチェックをつけて左上のツールボタンで操作しよう。

---

4 注釈一覧を表示する

❶タップ
❸注釈一覧が表示される
❷「注釈」をタップ

入力した注釈を一覧表示するには、右上の「…」をタップして「注釈」をタップ。PDF内につけられた注釈が一覧表示される。

5 注釈にメモを挿入する

❷編集画面が表示されメモを入力したり、カラーの変更ができる
❶「注釈」をタップ

つけた注釈にメモを入力したり、カラーを変更する場合は注釈をタップする。ポップアップ画面が表示され、編集ができる。

6 入力と署名ができる

「入力と署名」を選択する

Adobe Acroboat Readerならフォームの入力や署名入力が無料で行える。注釈画面を閉じ、右下のメニューボタンをタップして「入力と署名」をタップしよう。

こんな
用途に
便利！

デザイン性の高いグラフィックを作成したい
テンプレートを選択するだけで簡単に作成できる

ビジネスシーンで使えるグラフィックを作成したい
名刺、チラシ、ロゴ、SNS投稿画像など多彩なサイズと素材が用意されている

高度なグラフィック処理がしたい
アニメーション機能やエフェクトなど高度な装飾メニューも搭載している

美しいグラフィックを簡単に作成できる「Canva」

初心者でも高度なデザインが簡単に作成できる

SNSのプロフィール写真やプレゼン資料、自社サイトのバナーなどを作る上で重要となるのがデザイン性。新規の取引先と仕事をする上で、内容もさることながら見た目の印象は非常に影響力を持つ。そのため、プロのデザイナーにグラフィック作成を依頼する人は多いだろう。しかし、「Canva」を使えば、無料で簡単にプロ並みのグラフィックを作成することが可能だ。

Canvaはデザイン性の高いグラフィックを素人でも簡単に作成できるアプリ。作成できるグラフィックは、名刺、チラシ、ロゴ、SNS投稿画像、ポスター、カードなどビジネスと関わりのありそうなものであればほとんどカバーしている。

何百種類という膨大なテンプレートやフォントが用意されており、そこから好きなものを選択し、必要な情報を入力するだけで作成できる。手持ちの画像を挿入することもできるので、自身のプロフィール写真や会社のロゴなどを組み合わせることも可能だ。

有料プランを選択すれば利用できるテンプレートやフォントは増えるが、無料でも相当な数を利用できる。必要に応じて有料プランに変更すればよいだろう。

作者／Canva
価格／無料
有料プランは月/1,500円

Canva

Canvaのインターフェース

オプションバー
作成したグラフィックを保存したり、共有したり、SNSに投稿できる。「戻る」「進む」の操作やホーム画面に戻ることもできる。

素材バー
テンプレート、素材、テキスト、写真など利用する素材のカテゴリが表示される。

素材の詳細
素材バーから選択した素材の内容が表示される。好きな素材をタップすると右隣りのキャンバスに配置される。

素材編集ツールバー
キャンバスで現在選択中の素材に関する編集ツールが表示される。素材によって表示内容は変化する。

キャンバス
ここに配置された素材はドラッグして位置やサイズを自由に変更できる。

Canvaの基本的な使い方をマスターしよう

1 起動とデザインの作成

❶「デザインを作成」をタップ

❷作成するグラフィックの種類を選択する

Canvaを起動するとこのような画面が表示される。右上の「デザインを作成」をタップし、作成するグラフィックの種類を選択しよう。無料版はあとからのサイズ変更はできないので、事前にきちんと決めておこう。

2 テンプレートを選択しよう

利用するテンプレートを選択する

キーワードからテンプレートを探す

テンプレートの種類を選択する

編集画面では画面の左から利用するテンプレートを選択しよう。素材が多すぎて悩む場合は、検索フォームでキーワードを入力すれば絞り込める。

3 テキストを追加、編集する

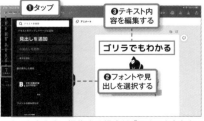

❶タップ

❸テキスト内容を編集する

ゴリラでもわかる

❷フォントや見出しを選択する

テキストを入力、編集する場合は「テキスト」をタップ。利用するフォントや見出しを選択するとキャンバスに追加される。タップしてテキスト内容を編集しよう。

作成したデザインを AIでほかの形式に 一瞬で変換

　Canvaには編集したい部分を選択するだけで、自動で指定したスタイルに編集してくれるAI機能がたくさん搭載されている。たとえば、「マジック変換」は、すでに作成したデザインをブログ記事、サマリー、メール、詩など、あらゆるタイプの別のデザインに一瞬で変換できる機能だ。たとえば、ポスター用に作成したデザインをInstagram用のサイズに変換したいときに一瞬で変換してくれる。デザインのサイズ変更にともなう時間を大幅に短縮できる。

　さらに、作成したコンテンツをさまざまな言語に翻訳する機能も備えており、日本語で作成したデザインを一瞬で指定した言語に翻訳した形でデザインを生成してくれる。国際的な顧客に向けたコンテンツも効率的に作成することができる。

サイズを変更したい場合は、メニューから「マジック変換」をタップして変換したいサイズやサービス名にチェックを入れて「続行」をタップしよう。

❶タップ
❷サイズを変更する
❸タップ

翻訳するにはマジック変換のメニューから「AI自動翻訳」を選択し、翻訳したい言語を選択して「AI自動翻訳」をタップ。

❶翻訳先の言語を指定
❷タップ

サイズ変更後のプレビューが表示される。オリジナルのサイズを残して、サイズ変更した新しいデザインを作成する場合は「コピーとサイズ変更」をタップ。

「コピーとサイズ変更」をタップ

指定した言語に翻訳してくれる。ただし、AI自動翻訳はテキストを翻訳するだけなのでデザインが崩れてしまう。テキストの長さやサイズは自分で調整しよう。

｜こ｜こ｜が｜ポ｜イ｜ン｜ト｜

ショート動画も 簡単に作成できる

Canvaはデザイン制作だけでなく、動画を作成する機能も搭載している。ホーム画面から「動画」をタップし、作成したい動画の種類（スマホ動画、Instagram動画、YouTube動画など）を選択し、用意されているテンプレートを素材を選ぶだけで簡単に動画を作成できる。作成した動画は、ダウンロードするだけでなくSNSアプリに直接共有してアップロードすることも可能だ。

出力形式は汎用性の高いMP4形式なのでさまざまなシーンで活用できる。

---

4 画像を追加する

❶タップ
❸画像を編集する
❷画像の位置やサイズを調節する

画像を追加する場合は、「もっと見る」の「写真」をタップして好きなものを選択しよう。取り込んだ写真は好きな位置に動かしたり、上部メニューから編集することができる。

5 素材の階層を調整する

❷タップ　**❶タップ**
❸階層を調節する

素材の階層を変更したいときは、上部メニューの「…」をタップして「配置」を選択。「前面へ」「背面へ」で重なりあった素材の階層を変更できる。

6 作成したグラフィックを 書き出しする

❶タップ
❷タップ

作成したグラフィックをiPadに保存するには、右上の保存ボタンをタップして「保存」をタップ。「写真」アプリ内に作成したグラフィックが保存される。

こんな
用途に
便利！

これから動画編集を始めてみたい！
シンプルな操作とインターフェースで、簡単に動画を編集できる！

「映える」動画を作りたい
豊富なフィルターや特殊効果によって見栄えの良い動画が作成可能

慣れてきたら本格的な編集も試してみたい
サブスクプランで上級者向け機能も利用可能。ビギナーからステップアップできる

超手軽にPOPな動画編集ができる「VLLO」

この無料ツールの使い勝手の良さは見逃してはいけない

　今や動画編集を求める声は、プロクリエイターだけではない。YouTubeにSNSに、さまざまなプラットフォームで動画を使ったコミュニケーションがメインとなっている昨今では、手軽で簡単で見栄えの良い動画編集ツールが求められている。

　その声に応えられるアプリが、直感的に動画編集を楽しめるVLLO（ブロ）。動画編集のビギナーでもわかりやすいインターフェースと機能を備えており、無料版でも、動画の分割、字幕の追加、BGMやトランジション（切り替え効果）の挿入など、簡単にビデオ編集を楽しめる。同じくiPadで無料で利用できる動画編集アプリとしては、「iMovie」があるが、そちらよりも、「見栄えの良い動画」を作りやすいのが魅力となっている。

　課金が必要だが、本格的で凝った動画を作りたいユーザに向けて、プロクリエイター向けの高度な機能も用意されているのもポイントだ。初めての動画編集アプリとしても、iPadを活用した本格的な動画編集ツールとしても、2Wayで活用することができる。まずは無料で使えるビギナー向け機能、基本的な動画編集の方法をマスターしていこう。

作者／vimosoft
価格／無料（※App内課金あり）

VLLO
※サブスクリプションは週額250円、、月額500円、年額1500円となっている。

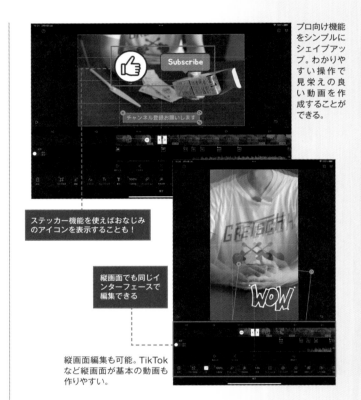

プロ向け機能をシンプルにシェイプアップ。わかりやすい操作で見栄えの良い動画を作成することができる。

ステッカー機能を使えばおなじみのアイコンを表示することも！

縦画面でも同じインターフェースで編集できる

縦画面編集も可能。TikTokなど縦画面が基本の動画も作りやすい。

VLLOを使った簡単動画編集

1 プロジェクトを作成する

タップして新しいプロジェクトを作成する

まずは編集するプロジェクトを作成。「＋新しい動画」からプロジェクトを新規作成する。

2 動画素材を読み込む

素材動画も用意されている（一部課金が必要）

読み込むメディアの種類を絞り込める

ファイルアプリからの読み込みにも対応（広告視聴や課金が必要）

❶読み込みたい素材を選択

❷タップして決定

編集する動画素材（動画・写真・GIFなど）をタップで選択していく。選択できたら「→」をタップする。

3 プロジェクト名と比率を設定

❶任意のプロジェクト名に変更

❷動画の画面比率。出力先に合わせる

❸プロジェクトを作成する

プロジェクトの名前を入力。画面の比率を指定して「プロジェクト作成」をタップしよう。

マスターしたい VLLOで多用する 4つの映える編集

　動画を作る最短ルートは、下の手順で紹介しているが、「映える」映像を作るにはカット編集やBGM以外にも、映像に手を加えていく必要がある。おすすめの編集は、動画への「特殊効果」「ステッカー」「プラットフォームに合った比率」だ。

　まず特殊効果だが、無料でも多彩なフィルターが用意されている。タップで選ぶだけで簡単にカラーフィルターを適用できるので、シーンに合ったものを選んでいこう。ステッカーもワンポイントで使えるシンボルや、フォローを促すアニメーションなども無料でOKだ。

　動画をどこで公開するか？も意識したい。例えばTikTokで公開するなら縦画面比率へ変更しておこう。iPadを縦持ちすれば、縦インターフェースへと切り替わるので自分の見やすい画面で編集することができる。

1 特殊効果を加える

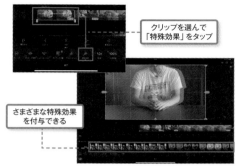

クリップを選んで「特殊効果」をタップ

さまざまな特殊効果を付与できる

クリップを選んで「特殊効果」をタップ。付与したい特殊効果を選ぶだけで、動画のカラー調整やエフェクトを加えることができる。

2 ステッカーでワンポイント

好きな位置にステッカーを貼り付けられる

タップ

動画にワンポイントを加えられるのが「ステッカー」。シンボルやアニメーションステッカーが大量に用意されており、動画をにぎやかにできる。

3 TikTok向け 縦動画＆縦編集に変更

エアコン掃除 (16:9) ✿

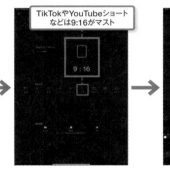
TikTokやYouTubeショートなどは9:16がマスト
9 : 16

プラットフォームに合った比率への変更も大事。プロジェクトは作成後でも比率を変えられるので、掲出先に合わせて比率を変更していこう。

ここがポイント

動画を重ねたり一部エフェクトは有料機能

複数の動画を重ねるような編集や、一部の特殊効果、高度な編集機能に関しては、有料のPremium機能。動画に適用はできるものの、書き出しの際にPremium権利の購入を求められる。とはいえ、無料版の機能だけでも十分に編集を楽しめるので、まずは無料の機能を使い倒してみよう。

有料の編集機能は、編集段階では適用できるが書き出しのフェーズでPremium加入が求められてしまう。

---

4 動画を編集していく

タップして編集画面を表示

カット編集や特殊効果などを加えられる（鍵付きは有料版機能）

編集を完了して画面を戻る

動画がタイムラインに読み込まれたら動画をタップ。カット編集や、効果を加えていく

5 音楽（BGM）を追加する

タップしてBGMを追加

追加したBGM。タップして編集が可能

課金が必要なBGM

動画の素材として音楽（BGM）も用意されているものを利用可能。ただし、有料のサブスクリプションが必要な音楽素材もある。

6 動画を出力する

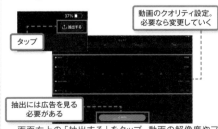

動画のクオリティ設定。必要なら変更していく

タップ

抽出には広告を見る必要がある

画面右上の「抽出する」をタップ。動画の解像度やフレームレートなどを指定して、「抽出する」をタップしよう。

こんな用途に便利！

顔を隠して自撮り動画を作成したい
ミー文字とClipsで簡単に顔を隠して自撮り動画が作成ができる

顔を隠してビデオ会議をしたい
ミー文字とFaceTimeで顔を隠して会議ができる

人格を改造したい
マスクをすることで人格を改造してポジティブになれる

編集 EDIT

ミー文字で顔を隠して
YouTube動画を撮影しよう

顔出しNGな人はミー文字でうまく顔を隠そう

YouTubeで自撮りした動画をアップロードする機会が増えている。しかし、匿名で仕事をしている人やプライバシーを大事にしたい人にとっては、公衆の場に顔を出すことに抵抗がある人が多いだろう。そんなときは、iPadのミー文字機能を使おう。

ミー文字は、iPhoneやiPadのフロントカメラで映し出されたユーザーの表情を読み取り、リアルタイムで自分で作成した似顔絵キャラクターに変換してくれるツールだ。覆面やただの画像と異なり、細かく顔の動きを読み取り、実際の表情に合わせてキャラクターの表情も変えてくれるのが最大の特徴。そのため、コミュニケーションするときに意思疎通がとりやすい。

ミー文字は「メッセージ」アプリから作成することができ、メッセージの送受信に利用するだけでなく、FaceTimeビデオで通話中に利用することができる。なお、ミー文字作成機能はFace IDに対応しているiPad Proしか対応していないが、Face ID対応のiPhoneがあれば作成できる。

また、作成したミー文字は、ほかのApple製アプリと連携できることが多い。たとえば、Face ID対応モデルを使っているiPhoneユーザーなら、メッセージアプリ内のカメラで自撮り動画を作成できる。iPad Proで自撮りしたい場合は、次のページで紹介する「Clips」を使うことで自撮り動画を作成することが可能だ。

Face IDに対応しているiPadのモデル
- iPad Pro 12.9インチ（第3世代以降）
- iPad Pro 11インチ

ミー文字の活用手順

メッセージアプリでミー文字を作成
↓
- ミー文字を使って動画作成
  ↓
  メッセージアプリ内の カメラ ／ Clips

- ミー文字でビデオ会議
  ↓
  Face Time

作成したミー文字はメッセージアプリのカメラから直接利用できる。対応していないiPadモデルの場合はClipsアプリを利用する。

FaceTimeでミー文字を使ってリアルタイムで顔を隠してビデオ会議することもできる。

メッセージアプリでミー文字を作成してFaceTimeで使ってみよう

1 メッセージアプリでミー文字を作成する

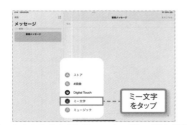

ミー文字をタップ

ミー文字を作成するには、メッセージアプリを起動してメニューからミー文字をタップ。左側の新規追加ボタンをタップする。画面はiPadだが、Face ID対応のiPhoneでも手順は同じだ。

2 顔のパーツを選択して「完了」をタップ

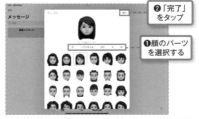

❷「完了」をタップ
❶顔のパーツを選択する

ミー文字作成画面が表示される。目、鼻、口などの顔を選択してオリジナルのミー文字を作成しよう。設定したら「完了」をタップする。

3 ミー文字の作成完了

タップしてミー文字を編集する

ミー文字が登録される。左下の「…」からミー文字の編集や削除ができる。

作成したミー文字と Clipsで動画を 作成してみよう

　Clipsは iPadや iPhoneのカメラと異なり、作成したミー文字で顔を隠して動画を撮影する特殊な機能を搭載している。録画時に自動で顔を隠してくれるので、録画後に自分で顔を隠す編集をする必要がない。インターフェースはカメラアプリにそっくりなので、初めてでも使いやすい。録画ボタンを一度タップで写真撮影、長押しすることで録画することが可能だ。録画ボタンはロックできるので、指を離した状態で撮影することもできる。Clipsで撮影した写真や動画は画面下に自動的に追加されていく。

　Clipsはもともと動画編集アプリなので撮りためた写真や動画をそのまま編集することが可能だ。iPadはもちろんのこと iPhone版もあるので、使いやすい方を利用しよう。ここでは iPad版で解説する。

作者／Apple
価格／無料

Clips

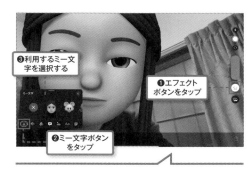

❸利用するミー文字を選択する

❶エフェクトボタンをタップ

❷ミー文字ボタンをタップ

Clipsを起動したら撮影ボタン横にあるエフェクトボタンをタップ。左下にメニューが表示されるのでミー文字ボタンをタップして、利用するミー文字を選択しよう。

❶一度タップで写真撮影、長押しで録画

❷左にスワイプするとロック

撮影ボタンを一度タップすると写真撮影。長押しすると録画撮影になる。録画撮影時にボタンを左にスワイプすると録画ボタンをロックでき、指を離した状態で撮影できる。

1 **2**
3 **4**

❷クリップをタップすると編集メニューが表示される

❶クリップが保存されていく

撮影するたびに画面下にクリップとして保存されている。各クリップをタップすると編集メニューが表示され、トリミングや分割など簡単な動画編集ができる。

利用するミー文字を変更する

編集メニューからエフェクトを選択

編集メニュー左端にある「エフェクト」から利用するミー文字を変更することもできる。また、ミー文字のほかにステッカーやアニメーションなどで顔を隠すこともできる。

5 **6**

❶共有メニューをタップ

❷保存先を指定する

ミー文字で顔を隠して作成した動画を保存する場合は、右下の共有メニューをタップして保存先を指定しよう。

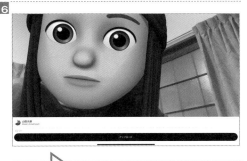

あとは YouTubeアプリを使って、作成した動画をアップロードしたり、iMovieなどほかの動画編集アプリでさらに編集するとよいだろう。

4 FaceTimeで ミー文字を利用する

❶エフェクトボタンをタップ

❷ミー文字をタップ

FaceTimeでミー文字を利用するには、自分の画面左下にあるエフェクトボタンをタップして、ミー文字ボタンをタップする。

5 作成した ミー文字を選択する

作成したミー文字をタップ

ミー文字が表示される。作成したミー文字も登録されているので、それをタップしよう。ほかにあらかじめ用意されているミー文字も利用できる。

6 自分の顔が ミー文字になる

自分の顔の部分だけにミー文字が適用される。顔の表情の変化に合わせてミー文字の表情も変化する。

こんな用途に便利！

タブ周りがほかのブラウザより便利
タブグループ機能では複数のタブを1つのグループにまとめて管理することができる

長押しメニューが豊富
画像やリンクの上で長押しすると表示されるメニューからさまざまな操作ができる

プロファイル機能搭載
用途ごとに適したブラウザ環境を作って切り替えて使うことができる

Safariの便利機能を再確認し 有効に活用しよう!

実は非常に多機能! 使えこなせていない テクニックを見直そう

Safariを使って多くのサイトを閲覧する場合は、タブの機能がとても重要。Safariには複数のタブを1つのグループにまとめて管理することができる「タブグループ」機能がある。開いたタブをカテゴリごとに分類しておくことで効率的にウェブサイトが閲覧できるようになる。

また、Safari上でぜひ使うべきテクニックが、「長押し」だ。画像やリンクの上で長押しすると表示されるメニューからさまざまな操作ができる。例えば、画像を保存したり、リンクを開いたりすることができるだけでなく、リンク先のページをプレビュー表示したり、ほかのアプリで開くことができる。

そして、Safariでは新たに「プロファイル」機能が追加された。プロファイル機能は、Safariを複数の異なる設定で利用できる機能だ。プロファイルを切り替えることにより、表示中のタブや登録されたブックマーク、閲覧履歴など、ブラウザ内の情報をまるごと切り替えることができる。広告ブロックなどSafariの拡張機能も、プロファイルごとに切り替えることが可能だ。例えば、仕事用と趣味用のプロファイルを使い分けるなど、自分に合った使い方ができる。また、プロファイルはiPadを他の人々と共有している場合にプライバシーを保て、非常に便利だ。

作者／Apple
標準アプリ

Safari

Safariのここをチェック!

1 サイドバーとアドレスバー

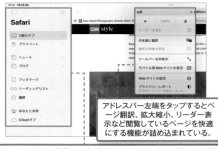

アドレスバー左端をタップするとページ翻訳、拡大縮小、リーダー表示など閲覧しているページを快適にする機能が詰め込まれている。

サイドバーには、タブグループ、ブックマーク、リーディングリスト、履歴、あなたと共有、iCloudタブなどのページ管理を行う機能が詰め込まれている。

2 長押しメニュー

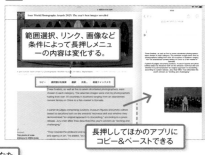

範囲選択、リンク、画像など条件によって長押しメニューの内容は変化する。

長押ししてほかのアプリにコピー&ペーストできる

3 プロファイルの切り替え

個人情報や仕事関連の情報を明確に区別し、不必要なデータ漏洩を防ぐことができるだろう。

タブグループを使ってテーマ別にタブを整理しよう

1 新しくタブグループを作成する

❶サイドバーを開く
❷タップして「新規タブグループ」を選択
❸タブグループの名称を設定する

左上のサイドバーボタンをタップして、新規タブグループボタンをタップ。「空の新規タブグループ」をタップして、タブグループの名前を付けよう。

2 タブグループを開く

❶作成したタブグループをタップ
❷そのテーマに関するページをタブで開こう

作成したタブグループがサイドバーに追加される。タップしてそのタブのテーマに関するページを開こう。

3 開いているページを特定のタブグループに追加する

❶長押しする
❷「タブグループへ移動」を選択する
❸移動先のタブグループを選択する

現在開いているページを作成したタブグループに移動したい場合は、タブを長押しして「タブグループへ移動」をタップし、移動先のタブグループ名を選択する。

タブ操作の便利ワザを もっと活用しよう！

Safariを使い続けると、タブの数がどんどん増えてくる。タブグループを使って整理するのも、膨大なタブを管理するための1つの手段だが、グループ化することそのものが面倒だと感じることもある。

開いているタブのURLをすべてバックアップしたい場合は、サイドバーに表示されている「○○個のタブ」を長押しすると表示されるメニューから「リンクをコピー」をタップしよう。クリップボードにタブのURLをまとめてコピーすることができる。また、タブを長押しして「タブの表示順序」をタップすると、タイトル順やURL順に自動で並び替えることができる。手動でドラッグ＆ドロップする手間が省ける。

ほかのユーザーと共同作業していて開いているページのURLを相手と共有したい場合は、タブグループを共有しよう。

開いているタブのURLをコピーするには、サイドバー一番上の「○個のタブ」を長押しし、「リンクをコピー」をタップしよう。クリップボードに開いているタブのURLをまとめてコピーできる。

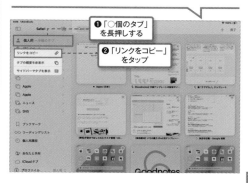

① 「○個のタブ」を長押しする
② 「リンクをコピー」をタップ

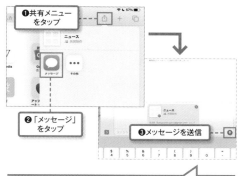

① 共有メニューをタップ
② 「メッセージ」をタップ
③ メッセージを送信

タブグループはほかのユーザーと共有できる。タブグループを開き右上の共有メニューをタップして「メッセージ」を選択する。メッセージ画面が開くので送信する相手を選択してメッセージを送信しよう。

タブを長押しすると表示されるメニューから「タブの表示順序」を選択すると、タブをタイトル順やURLページ順に並び替えることができる。

① タブを長押しする
② 「タブの表示順序」を選択

① 共有相手のアイコンをタップ
② Safariからコミュニケーションアプリが使える

共有しているユーザーのアイコンが追加される。アイコンをタップするとメニューが表示され、Safariからメッセージ、FaceTimeなども利用できる。

| 1 | 2 |
| 3 | 4 |

| こ | こ | が | ポ | イ | ン | ト |

ほかのデバイスで 開いている タブを表示する

同じApple IDでiPhoneやMacのiCloudにサインインしておくと、ほかのデバイスのSafariで開いているタブをiPadのSafariに表示させることができる。ほかのデバイスで開いているタブを確認するにはサイドバー一番下にある「iCloudタブ」をタップしよう。デバイス別に開いているタブを一覧表示してくれる。また、表示されているタブを長押しするとメニューが表示され、タブグループに追加したり、リーディングリストに追加することもできる。

サイドバー一番下の「iCloudタブ」をタップ

---

4 ドラッグ＆ドロップでも タブグループに追加できる

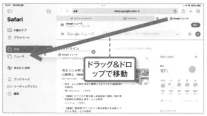

ドラッグ＆ドロップで移動

タブをサイドバーにあるタブグループ名にドラッグ＆ドロップして移動することもできる。

5 タブの名称変更や 削除をする

タブグループを長押しする

タブの名称を変更したり、削除する場合はサイドバーのタブグループを長押しする。メニューが表示され名称変更や削除などの操作ができる。

6 現在タブで開いているページを まとめてタブグループに追加する

① サイドバーボタンを長押しする
② 開いているタブをまとめて追加する

現在タブで開いているページをまとめてタブグループに追加したり、新たにタブグループを作成する場合は、サイドバーボタンを長押しして表示されるメニューから行おう。

多機能な長押しメニューで効率的にウェブサーフィンをする

「バックグランドで開く」や「タブグループで開く」が便利に使える

ページに貼られたリンクを長押ししたときに表示される長押しメニューは、Safariでは非常に豊富で便利だがあまり知られていない。

長押しするとリンク先のページがプレビュー表示される。ページを開かなくてもページ内容をチラ見できるようになる。

また、プレビューと同時に長押ししたときに表示されるメニューで「バックグラウンドで開く」という機能があり、タップすると、現在のページを閉じずに新規タブで開いてくれる。「新規タブで開く」と異なるのは、新しいタブに自動的に切り替わらず、現在のページをアクティブにしたまま別のページを開けることだ。なお、リンクを新しいタブで開いたときに、新しいタブに自動的に切り替わるようにするには、「設定」アプリの「Safari」の設定で変更できる。

ほかにはリンク先をタブグループで開いたり、リーディングリストに登録したりもできる。地道に改善された長押しメニューをうまく使いこなそう。

リンクを長押ししたときのメニュー

タブグループで開く
リンク先を指定したタブグループで開く。新規タブグループを作成することもできる。

プレビュー
リンクを長押しするとリンク先がプレビュー表示される

リーディングリストにページ先を追加する

バックグラウンドで開く
現在開いているページ

非アクティブのまま新規でタブが開く

現在開いているタブとは別に新規でタブを開いてくれる。

オン・オフの切り替え
新規タブをバックグラウンドではなくこれまで通りアクティブで開きたい場合は、「設定」アプリの「Safari」の「新規タブをバックグランドで開く」をオフにしよう。

関連アプリで開く
GoogleニュースアプリをインストールしているとGoogleニュースアプリに切り替わる

リンク先のページと関連のある専用アプリがiPadにインストールされている場合、「アプリで開く」というメニューが表示され、そのアプリに切り替わる。

ここがポイント

プロファイルを使いこなそう

プロファイルの作成は、Safariアプリからは行えない。iPadの「設定」アプリを開き、その中の「Safari」画面を開こう。「プロファイル」の項目にある「新規プロファイル」をタップすると、プロファイル作成画面が表示されるので、プロファイル名やカラー、アイコンなどを設定しよう。Safariのサイドバー下に新しいプロファイルが表示されるようになる。なお、すでに登録しているブックマークを新しいプロファイルと共有したい場合は、新規プロファイルを作成する際に利用するお気に入りフォルダを指定しよう。

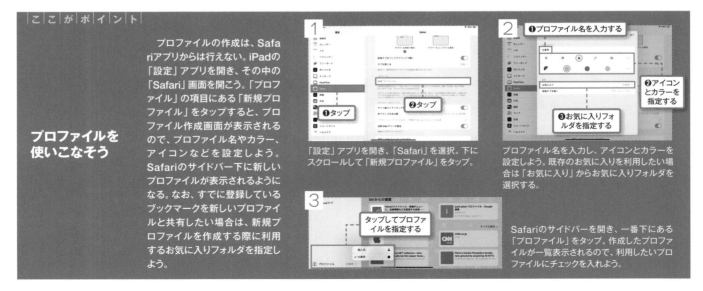

1 ❶タップ ❷タップ
「設定」アプリを開き、「Safari」を選択。下にスクロールして「新規プロファイル」をタップ。

2 ❶プロファイル名を入力する ❷アイコンとカラーを指定する ❸お気に入りフォルダを指定する
プロファイル名を入力し、アイコンとカラーを設定しよう。既存のお気に入りを利用したい場合は「お気に入り」からお気に入りフォルダを選択する。

3 タップしてプロファイルを指定する
Safariのサイドバーを開き、一番下にある「プロファイル」をタップ。作成したプロファイルが一覧表示されるので、利用したいプロファイルにチェックを入れよう。

ドラッグ＆ドロップでSafariから ほかのアプリに情報をコピーする

Slide Overや Split Viewで データを受け渡しする

現在のiPadOSではPC操作ではおなじみのアプリ間での「ドラッグ＆ドロップ」が利用できるようになったが、Safari上のデータもドラッグ＆ドロップで簡単にほかのアプリにコピーできるようになっている。長押しメニューや共有メニューから、何度もタップ操作をする手間を大幅に省くことができる。

ドラッグ＆ドロップを活用するには、Split ViewやSlide Overを起動してSafariとデータの受け渡しをするアプリを並列表示させておく必要がある。「ファイル」アプリにSafariで表示しているテキストや画像などのデータを保存する場合は、片側にSafari、もう片側に「ファイル」アプリを開いておこう。あとはコピーしたいファイルを範囲選択してひたすらドラッグ＆ドロップすればよい。

逆にほかのアプリからSafariにデータをドラッグ＆ドロップで送信することもできる。Dropbox.comなどブラウザ上にファイルを登録してアップロードするサイトで利用しよう。

---

1 Safariで表示しているページのURLをメモに記録するには、Safariのアドレスバーをメモアプリにドラッグ＆ドロップしよう。ページ内容をサムネイル形式にしてリンクを作成してくれる。

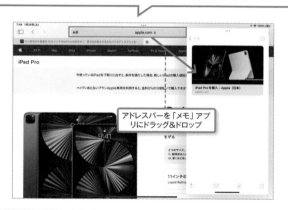

アドレスバーを「メモ」アプリにドラッグ＆ドロップ

2 Safariで表示している画像を保存する場合は、「ファイル」アプリを表示させ、画像を直接「ファイル」アプリ内にドラッグ＆ドロップすれば保存できる。

画像を「ファイル」アプリにドラッグ＆ドロップ

3 Safariでページを開いている状態でクイックメモを起動すると、「リンクを追加」という文字が表示され、タップすると簡単にメモにページを追加できる。

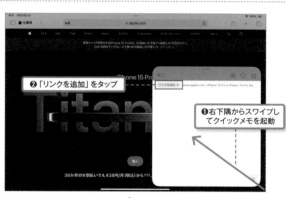

❷「リンクを追加」をタップ

❶右下隅からスワイプしてクイックメモを起動

4 SafariでDropbox.comを開き、「写真」アプリから写真をSafariにドラッグ＆ドロップするとファイルのアップロードができる。

写真をSafariで開いたDropbox.comにドラッグ＆ドロップ

ここがポイント

ページ全体を スクリーンショット で撮影するには？

iPadOSのSafariでは、ウェブページ1画面ぶんだけでなく縦長のページ全体を1つのスクリーンショットとして撮影できる。ページ全体を撮影した場合、PDF形式のファイルとして保存するため、オフラインで後からじっくり記事を呼んだり、資料としてページをアーカイブしておきたいときなどに便利だ。

スクリーンショット撮影後、左下に一時的に表示されるサムネイルをタップ。「フルページ」を開き、左上の「完了」から「PDFをファイルに保存」を選択しよう。

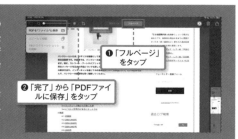

❶「フルページ」をタップ

❷「完了」から「PDFファイルに保存」をタップ

情報収集 INFORMATION

こんな用途に便利！

注目度の高いSNSで新鮮な情報を仕入れる
情報の速度感はやはりXがダントツで速い！ 新鮮な情報を手に入れられる

興味のある情報だけをチェックする
フィルターや検索、ミュートなどを駆使して必要な情報だけを受け取れる

特定のポストを探し出したい
豊富な条件検索で目当ての情報を絞り込める

「X」を情報入手の手段として 最大限に利用するには!?

情報の伝達速度はやはり今もXがダントツで速い

現代ではさまざSNSが誕生しているが、ユーザー数や活性度などを考えると、話題性が高く新鮮な情報を得るには、やはり「X（旧：Twitter）」がダントツだ。

利用ユーザーはスマホが多いが、iPadでもXアプリが配信されている。iPadの画面では画像や動画がかなり大きめに表示されるので、スマホの画面よりも見やすいのが特徴。横にすればPCのブラウザのように3ペイ

ン表示になり、トレンド情報を一目で確認できる点も使い勝手がいい。こうして、視認性の高いXアプリを情報入手源として活用してみよう。

ただし、Xはユーザー数が多く、また最近は自動で閲覧数を稼ごうとするアカウント（インプレゾンビ）も問題になっている。これらがノイズとなり、目当ての情報にたどり着きにくいのも事実。効率よく情報を得るには、情報を効率的に探したり、ノイズを排除する必要がある。そこで、ここで紹介する一歩進んだX活用のテクニックをマスターしておこう。意識せずに使うよりも、これらを知っておけば、Xはより便利な情報収集ツールに生まれ変わる。

作者／X Corp.
価格／無料(App内課金あり)
※月額600円から

X

画像が大きく見やすいのが iPad 版の特徴

メニューは左側に集中。PCのブラウザ版と近いインターフェースになっている

豊富な検索テクニックを利用すれば、欲しい情報にたどり着ける

忘れがちなXのテクニックをおさらい

1 リポストを非表示にする

本人の投稿だけに注目したい場合は、ノイズになるリポストをオフにしよう。相手のプロフィール画面で「…」→「リポストをオフにする」をタップ。

2 バレずに非表示にできるミュート機能

該当するポストの「…」→「○○さんをミュート」を選ぶ。これで相手にバレることなく、相手のポストを非表示（ミュート）にできる。

3 自分のポストに返信できる範囲を変更する

的外れの返信に悩んでいるなら、返信範囲の変更が効果的。ポストにある「…」→「返信できるユーザーを変更」からアカウントを制限できる。

知られていない？ Xでの検索機能はこんなにも豊富

Xにはキーワード検索機能が備わっているが、ユーザー数も投稿数も多いSNSであるため、普通に検索しただけでは目当ての情報にたどり着きにくい。そこで便利なのが検索時の絞り込み。いわゆる条件検索だ。

あまり知られていないが、実はXのキーワード検索機能はかなり優秀だ。たとえば「"検索キーワード"」とダブルクォーテーションでキーワードの前後を囲むだけで、キーワードに完全一致したポストだけを検索できる。逆に複数のキーワードを含むポストを検索したり、特定のキーワードを除外する、画像や動画に限定する、ポスト期間を絞り込んで検索するなど、検索欄だけでもさまざまな検索テクニックが用意されている。これらの検索機能をうまく活用して情報を効率的に入手していこう。

必ず役立つ8つの検索テクニック （□はスペース（空欄）を入力）

1. 複数のキーワードを含むポストを検索する
→「キーワードA□キーワードB」とスペースを開けて検索

2. キーワードに完全一致したポストのみ検索する
→「"検索キーワード"」とダブルクォーテーションでキーワードの前後を囲む

3. 日本語のポストのみに絞る
→キーワードの後ろに「□lang:ja」と入力して検索

4. 特定のキーワードを除外して検索する
→キーワードの後ろに「□-（除外したいキーワード）」と入力して検索

5. いつからを指定する「since」検索
→キーワードの後ろに「□since:2017-01-01」（2017年1月1日以降という意味）などsinceを付けて検索

6. いつまでを指定する「until」検索
→キーワードの後ろに「□until:2017-01-01」（2017年1月1日までの期間という意味）などuntilを付けて検索

7. 画像や動画つきのポストのみ検索する
→キーワードの後に「□filter:images」で画像、「□filter:videos」で動画付きポストに絞り込んで検索

8. フォロー中のユーザーに限定して検索する
→検索フィルターを「フォロー中のユーザーのみ」に設定して検索

テクニックを複数組み合わせて利用することも可能だ。この場合の条件は…

`since:2022-01-01 until:2023-01-02 filter:images`

`箱根駅伝 since:2022-01-01 until:2023-01-02 filter:images`

キーワード「箱根駅伝」

2022年1月1日から

2023年1月2日まで

画像を含むツイート

❶タップ
❸タップ
❷「フォロー中のユーザーのみ」を選択
❹フォローしているユーザーのポストだけを検索・表示する

ここがポイント

閲覧稼ぎのインプレゾンビに要注意！

話題度の高い投稿に、内容のないコメントやデマ情報を返信・リポストを繰り返して閲覧数を稼ぎ収益を得る「インプレゾンビ」がXで問題になっている。日に日に狡猾になり、ChatGPTで自動生成コメントをするアカウントまで登場するなど、人間との区別も難しい。たくさんの返信がついているとしても、現状は反応せずにスルーするのが一番だ。

Xの闇ともいえるインプレゾンビ問題。ショッキングな投稿に群がるように集まるが、ただのノイズでしかないので反応せずに静観しておこう。

---

4 アナリティクスで反響をチェック

タップ
合理的
2437

投稿の反響をチェックするには、ポストにある「アナリティクス」ボタンをタップ。投稿の表示（インプレッション）数などが詳しくわかる。

5 ポストを保存できる「ブックマーク」を活用

ブックマークに追加したポストを表示する
タップしてブックマークに保存

「ブックマーク」アイコンからポストをブックマークへ追加できる。好きなタイミングで見返せて、相手へ通知が届かないのも使いやすい。

6 プレミアムで広がる便利機能

プレミアム
1年プラン ¥14,300/年
1ヶ月プラン ¥1,380/月

先進的な機能を利用するには、月額1,380円からのプレミアムサブスクリプションが必要

プレミアムプランのユーザーは音声・ビデオ通話を利用できる。また、今後ユーザー間での送金機能も計画されている。

こんな用途に便利！

ホームボタンのないiPadユーザーには必須！
ジェスチャ操作でホームボタン同様の操作ができるようになる

効率的にアプリ操作をしたいユーザー
ジェスチャ操作でアプリの切り替えが素早く行える

スムーズなファイル移動をしたいユーザー
ジェスチャ操作でファイル操作も素早く行える

増えすぎたiPadのジェスチャ操作を再確認しておこう

ホームボタンのないiPadはホームボタン廃止後に増えたジェスチャ操作に注目しよう

iPadOSのバージョンがアップするたびに、画面を呼び出すジェスチャ機能は改良されているが、多くのユーザーはどんなジェスチャ操作が追加されたか知らないまま使い続けているはずだ。そこで、一度現在のiPadのジェスチャ操作を再確認しよう。特にホームボタンがないProや最新のAir、miniユーザーはジェスチャ操作を知っておかないと困るだろう。

現在のジェスチャ操作は、ホームボタンを取り除いたiPad ProやiPhone Xシリーズに対応した仕様となっている。ホームボタン廃止後に代表的なジェスチャとなったのは画面下から上方向にフリックすると実行される「ホーム画面に戻る」操作だろう。また、ホームボタンを2回押せばAppスイッチャーが起動したが、ホームボタンのないiPad Proでは画面下から上方向に指を離さずゆっくりスワイプするとAppスイッチャーが起動する。この操作は標準iPadでも利用することが可能だ。

ほかにも、バージョンがアップするたびに増えたジェスチャ操作はたくさんある。画面下から虹を描くようにジェスチャ操作をすると「前に使っていたアプリに戻る、進む」が行える。また、右端下から中央へスワイプするとクイックメモを表示することができる。

現在のiPadの基本ジェスチャを確認しよう

1 画面下から上にスワイプしてホーム画面に戻る

画面下から上へフリック

アプリ画面からホーム画面に戻るには、画面下から上へ弾くようにフリックしよう。ホームボタンのないiPad ProやAir、miniでは必須の操作となる。

2 画面下から上へスワイプして中ほどで止める

画面下から上へスワイプして中ほどで止める

画面下から上へ指をゆっくりスワイプして画面中央あたりで止めるとAppスイッチャーが表示される。

3 コントロールセンターを表示させる

画面右上端から下へフリック、またはスワイプ

コントロールセンターを表示させるには、画面右上端から下へフリック、またはスワイプしよう。

4 1つ前に使ったアプリに戻る

左から右にスワイプ。画面下からわずかに弧を描くようにすると上手くいく。

画面下端を左から右へスワイプすると1つ前に使ったアプリが表示される。バックグラウンドで起動した状態になっていれば、さらに前のアプリを表示させることができる。

5 1つ前に使ったアプリに進む

右から左にスワイプ。画面下からわずかに弧を描くようにすると上手くいく。

「戻る」ジェスチャのあと、画面下端を右から左へスワイプすると前のアプリに進む。ブラウザやアプリ操作の「戻る」「進む」と同じだ。

6 クイックメモを表示させる

右端下から中央へスライド

画面右端下から中央へスワイプするとクイックメモが表示される。ホーム画面だけでなくアプリ起動中でも表示してメモを取ることができる。

✅ 複雑なSlide Overの ジェスチャを復習しよう

わかりづらい Slide Overの操作を 完全に理解しよう

iPadにはSlide Overというマルチタスク機能が搭載されている。2つのアプリを同時に表示して利用できる便利な機能だ。ただ、利用しているときに気になる問題として、ホーム画面に戻る操作をすると、Slide Overが消えてしまうことがある。しかし、実際は画面外へ隠れているだけで、Appスイッチャーを起動するか、ほかのアプリを起動中に画面端から内側へスワイプすれば引き出すことができる。知らないと何度もSlide Overを立ち上げてしまうので注意しよう。

なお画面中央上部のマルチタスクボタンでさまざまな操作ができる。なお、Slide Overの基本は107ページで解説している。

1 ホーム画面に戻り、ほかのアプリを起動後、通常は右端から左へスワイプすると隠れたSlide Overが表示される。

2 マルチタスクボタンを左右にフリックすると隠れる。表示されるつまみを引き出すと現れる。

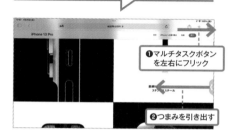

❶マルチタスクボタンを左右にフリック

❷つまみを引き出す

3 隠れたSlide OverはAppスイッチャーからも確認できる。右端に隠れているのがSlide Overだ。タップすると引き出せる。

Appスイッチャーの右端に少し見えている

4 DockからSlide Over上にアプリを追加すると、そのアプリに切り替えることができる。なお、切り替え前のアプリはバックグラウンドで起動している。

ドラッグ&ドロップ

5 Slide Over上で下から上へスワイプするとバックグラウンドで起動しているほかのSlide Overアプリが表示され、切り替えることができる。

下から上へスワイプ

6 Slide Over上のマルチタスクボタンを画面上部中央へスライドすると、全画面表示に切り替えることができる。

上部中央へスライド

「写真」や「ファイル」アプリで使うと便利なジェスチャ

複数のファイルを まとめて素早く移動する

「写真」や「ファイル」内に保存されているファイルをほかのアプリにコピーする場合、覚えておくと便利なのが次のテクニック。ファイルを長押しして浮かした状態にしたままホーム画面に戻るとファイルが消えず、ほかのアプリにコピーすることが可能。あまり知られていない方法だが、知っておくと効率的にファイル移動ができるだろう。

1 ### ファイルを長押しして 浮かした状態にする

ファイルを長押しして浮かせた状態にする

移動したいファイルを選択、長押しして浮かせた状態にしよう。複数のファイルを選択することもできる。

2 ### ホーム画面に戻り ほかのアプリにコピーする

❷ほかのアプリにドラッグする

❶下から上へスワイプしてホーム画面に戻る

別の指で画面下から上へスワイプしてホーム画面に戻る。すると選択したファイルが残ったままになる。ほかのアプリにドラッグするとファイルが使える。

こんな用途に便利！

2つのアプリを並べて使える
複数のアプリを見比べながら作業するときに便利

アプリの上に重ねるように別のアプリを使う
メインアプリを全画面にしながらほかのアプリを使いたいときに便利

複数のアプリを素早く切り替える
新しいマルチタスキング操作でアプリ切り替えがスムーズに行える

改良され進化し続ける iPadのマルチタスク機能を使いこなそう

マルチタスキングの基本 Split Viewで複数のアプリを同時に利用する

複数のウインドウを開いて並列作業が行えるPCと異なり、iPadは1画面1ウインドウのシングルタスクが基本仕様となっている。しかし、2015年にマルチタスキング機能が追加されて以降、毎年iPadのマルチタスキング機能は少しずつ改良され使いやすくなっている。一度、マルチタスキング機能を見直してみよう。

代表的なのが、iPadの画面を分割して2つのアプリを並べて使う「Split View」と、アプリの上に重ねるように別のアプリを使う「Slide Over」だ。

また、iPadOS 16以降、一部の機種限定となるが、非常に多機能で便利な「ステージマネージャ」機能が使えるようになっており、大画面のiPadでは便利だが、ここではほかの方法を紹介する。iPadアプリを起動するとiPad画面最上部に3つのマルチタスキングボタンが表示され、このボタンをタップするとSplit ViewやSlide Overが起動できる。以前のドラッグ操作よりもスムーズに操作できるようになっている。

また、Dockの右端にAppライブラリが追加され、ここからiPadにインストールしているアプリを素早く呼び出し、Split ViewやSlide Overにすることができるようになった。

マルチタスキングメニュー

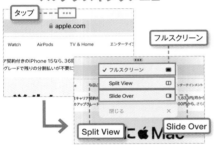

アプリを起動すると画面上部に「…」というボタンが表示される。これをタップするとマルチタスキングメニューに変化する。

Split View

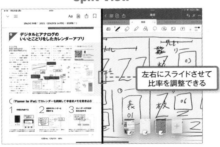

左右にスライドさせて比率を調整できる

画面を2分割して、2つのアプリを同時に表示する形式。分割の比率も変更できる。

Slide Over

アプリの上に重ねるように別のアプリを使う。縦長のフローティング表示で、画面の左右に自由に動かせる。

新旧のSplit Viewの使い方を知っておこう

1 よく使うアプリをDockに登録しておく

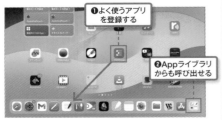

❶よく使うアプリを登録する
❷Appライブラリからも呼び出せる

まずは、Dockから行う方法だ。Split Viewでアプリを起動するにはDockに登録しておこう。なお、Dock右端にアプリ「Appライブラリ」が追加されているので、ここから呼び出すこともできる。

2 DockからSplit Viewで利用するアプリをドラッグ

❷アプリを少し長押しして画面端にドラッグ&ドロップする
❶Dockを引き出す

アプリ起動中に画面下にある白いバーを上へスワイプする。Dockが表示されたら、Split Viewで表示させたいアプリを画面端までドラッグ&ドロップしよう。

3 Split Viewが起動してアプリが並列表示される

ハンドルを左右にスライドする

Split Viewに対応したアプリならSplit Viewが起動してアプリが並列表示される。分割線中央のハンドルを左右にスライドすると画面比率を変更することができる。

新着メールのチェックや SNSのチェックに便利な Slide Over

Slide Overは、現在開いているアプリに重ねるように2つ目のアプリを表示させるiPadのマルチタスク機能だ。1つ目のアプリをフルスクリーン状態にしたまま2つ目のアプリを利用できるのがSplit Viewとの大きな違いで、また、Slide Overで表示しているアプリは左右に自由に移動させることができる。フルスクリーン状態にしたSafariでブラウジングをしながら、Slide Over上でSNSやメールなどのメッセージをチェックするときなどに便利だ。なお、画面上部中央のマルチタスキングメニューのSlide Overのボタンをタップして起動することもできる。

Slide Over上で下から上へスワイプするとAppスイッチャーが表示され、前に開いていたアプリに素早く簡単に切り替えることができる。

アプリをドラッグ&ドロップ

アプリ起動中に画面下の白いバー（iPad Proなどの場合）を上へスワイプしてDockを引き出し、2つ目のアプリを少しだけ長押しして1つ目のアプリ上にドラッグ&ドロップしよう。

Dockを引き出す

Slide Over
❶タップ

画面上部からSlide Overのボタンをタップするとアプリが右端に隠れる。2つ目のアプリを選択すると隠れていたアプリがフローティング上になって表示される。

❷ほかのアプリをタップ

ドラッグして移動する

Split Viewのように画面が分割されず、アプリ上に浮いたように2つ目のアプリが表示される。上部を左右にドラッグして位置を移動できるのも特徴だ。

下から上へスワイプする

Slide Over上で下から上へスワイプするとAppスイッチャーが表示される。Slide Over上で表示するアプリを選択しよう。

1	2
3	4

ここがポイント

Appスイッチャー上で Split Viewを作成する

便利な方法として、Appスイッチャー上にあるアプリをドラッグして、ほかのアプリに重ねるとSplit Viewを作成できるようになっている。逆にSplit Viewの片方のウインドウをドラッグすると解除することもできる。

Split Viewにしたいアプリをドラッグして重ねる

---

4 マルチタスクメニューから Split Viewを起動する

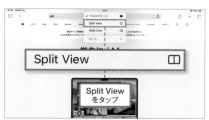
Split View
Split Viewをタップ

こちらは新しい方法。マルチタスクメニューからSplit Viewを起動する場合は、アプリ起動中に画面上部の「…」をタップして中央のSplit Viewボタンをタップする。

5 2つ目に起動するアプリを ホーム画面でタップ

❶1つ目のアプリが端に隠れる
❷2つ目のアプリをタップする

1つ目のアプリのウインドウが左端に移動し、ホーム画面が表示される。ここから2つ目のアプリを起動する。なお、画面端に隠れたアプリをタップすると1つ目のアプリの表示に戻すことができる。

6 Split Viewが起動する

左右にスワイプすると移動
下にスワイプすると閉じる

2つ目のアプリが起動して分割表示される。画面上の「…」を下にスワイプするとアプリを閉じることができ、左右にスワイプするとアプリの表示位置を切り替えることができる。

効率化
IMPROVE

こんな用途に便利！

MacのキーボードやマウスをiPadで使いたい
付け替えることなく、シームレスにMacの入力デバイスを使える

iPadをMacのサブディスプレイとして使いたい
サイドカーを使えばMacのデスクトップがiPadの画面に表示される

MacとiPad間でスムーズにファイルをやり取りしたい
ユニバーサルコントロールならドラッグ＆ドロップでやり取りできる

Macとの連携技でiPadのさまざまな操作を高速化!

2大連携機能を使いこなそう

iPadをパソコンライクに使いたいことはあるものの、そのために重くて厚い純正キーボードカバーを着けたり、マウスを常備したりするのはちょっと……、という人におすすめなのが、「ユニバーサルコントロール」だ。これは、Macに接続されているキーボード、マウス、トラックパッドなどの入力機器を、つなぎ直すことなく、iPadとシームレスに共有できるという機能だ。

これにより、iPadのそばにMacがあればいつでも、Macのキーボードを使ってiPadでスムーズに文字入力ができるようになり、マウスによるきめ細かい操作も可能になるので、あたかもMacからiPadをリモート操作しているような感覚で使えるようになる。

もう1つおすすめの機能が「サイドカー」だ。これはMacのサブディスプレイとしてiPadを使えるようにするという機能で、Macのデスクトップなど作業中の画面をより広く表示させたい、MacとiPadそれぞれに別アプリのウインドウを表示して効率的に並行作業したいといった場合に役立つ。

ユニバーサルコントロール、サイドカーの機能を利用するには、MacとiPadそれぞれで同じApple IDでサインインした上で、設定を済ませておく必要がある。また、各デバイスが10m以内の距離にあり、すべてでBluetoothとWi-Fi、Handoffが有効になっている必要もある。

MacとiPadの連携機能でできること

Macの入力デバイスをiPadで使う

ユニバーサルコントロール！

ユニバーサルコントロールでは、Macのマウスやキーボードをつなぎ替えることなくiPadで利用できる。対応するのはmacOS 12.4以上、iPadOS 15.4以上の比較的新しいモデルになる点に注意。

Macの画面をiPadの画面に表示

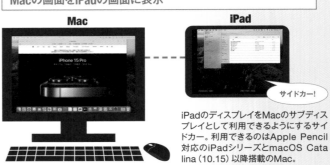

サイドカー！

iPadのディスプレイをMacのサブディスプレイとして利用できるようにするサイドカー。利用できるのはApple Pencil対応のiPadシリーズとmacOS Catalina（10.15）以降搭載のMac。

初期設定をしてユニバーサルコントロールを使う

1 iPadで設定する

「Handoff」をオンにする

「カーソルとキーボード」をオンにする

「設定」アプリで「一般」→「AirPlayとHandoff」をタップし、「Handoff」と「カーソルとキーボード」のスイッチをそれぞれオンにする。

2 Macで設定する

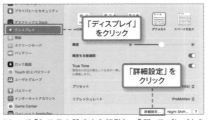

「ディスプレイ」をクリック

「詳細設定」をクリック

Macで「システム設定」を起動し、「ディスプレイ」をクリックして、「詳細設定」をクリックする。

3 機能を有効にする

これとこれをオンにする

「完了」をクリック

表示される画面で、上の2つの設定項目のスイッチをオンにして、「完了」をクリックする。

サイドカーも便利だ

サイドカーでは、2つの表示方式のいずれかを選択できる。1つがMacのデスクトップをiPadのディスプレイのぶん拡張し、MacとiPadの画面それぞれに別アプリのウインドウなどを表示して並行作業できる「個別のディスプレイ」で、もう1つがMacとiPadとで同じ画面を表示する「ミラーリング」だ。どちらもMacのメニューバーから切り替えられるので、自分の作業内容に合わせて好きな表示方式を選択するといいだろう。

サイドカーの便利な使い方としては、連携マークアップが有名だ。これはiPadとApple Pencilの組み合わせを、プロのデザイナーが使うペンタブレットのように利用するというもので、Macに保存されたPDFや画像などに、iPadから手書きのメモやイラスト、注釈を入れられるというもので、その際にiPadにファイルを転送する必要もない点が便利なので、その方法をぜひ覚えておきたい。

iPadに画面を出力する

Macのコントロールセンターで「画面ミラーリング」をクリックして、出力先となるiPadの名前をクリックする。

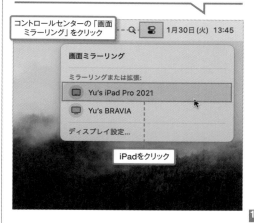

> コントロールセンターの「画面ミラーリング」をクリック

> iPadをクリック

連携マークアップを利用する

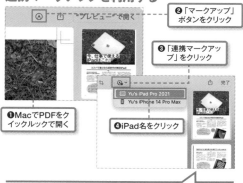

> ❷「マークアップ」ボタンをクリック
> ❸「連携マークアップ」をクリック
> ❶MacでPDFをクイックルックで開く
> ❹iPad名をクリック

Macに保存されたPDFや画像などのファイルを、選択してスペースキーを押すとクイックルックでその内容が表示される。iPadで手書きするには、上のように操作する。

表示方式を切り替える

表示方式は、メニューバーの「画面ミラーリング」アイコンをクリックすると表示されるメニューで切り替える。またここでiPad名をクリックするか、iPadの画面から「接続解除」をタップするとサイドカーが終了する。

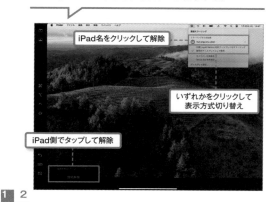

> iPad名をクリックして解除
> いずれかをクリックして表示方式切り替え
> iPad側でタップして解除

1 2
3 4

iPadでPDFが開く

> ❻「完了」をタップ
> ❺マークアップツールを使って手書きする

iPadでPDFが開き、マークアップツールが表示されるので、Apple Pencilを使ってPDF上に手書きする。作業が終わったら、「完了」をタップしてMacでの作業に戻る。

ここがポイント

ドラッグ&ドロップでファイルをやり取りする

ユニバーサルコントロールでは、マウスやキーボードの共有に加え、iPadとMac間でのドラッグ&ドロップによるファイルのやり取りが可能。入力デバイスの操作対象を切り替える際と同じ手順で、どちらかからもう一方にファイルをドラッグ&ドロップすればいい。その際、関連付けられたアプリアイコンにドラッグ&ドロップすると、そのアプリでファイルが開く。

> ファイルをもう一方にドラッグ&ドロップ

どちらからでもいいので、ファイルをもう一方の画面に向けてドラッグ&ドロップする。

---

4 MacからiPadに操作対象を切り替える

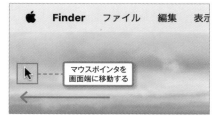

> マウスポインタを画面端に移動する

Macのマウスポインタを、iPadの画面が隣接する方向（ここでは画面左端、手順6参照）の端に移動する。

5 iPadにマウスポインタが移動する

> マウスポインタがiPadの画面に移動した

iPadの画面、Macの画面が隣接する方向（ここでは画面右端、手順6参照）にマウスポインタ（カーソル）が現れる。そのままMacのマウスとキーボードを使ってiPadでの操作が可能になる。

6 MacとiPadの画面が隣接する位置を変える

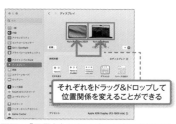

> それぞれをドラッグ&ドロップして位置関係を変えることができる

手順3の画面で「配置」をクリックすると表示される画面では、ユニバーサルコントロールでつながっているMacとiPadの画面の位置関係がイラストで表示される。位置関係はドラッグ&ドロップすることで変えることができる。

こんな用途に便利！

iPadからMacやPCを操作したい
アプリを使って快適に遠隔操作できる

外出先から自宅にあるデータを操作、閲覧したい
持ち出したiPadから自宅Macの中にあるデータにアクセスできる

Macで使い慣れたアプリをiPadでも使いたい
遠隔操作中のMacアプリを使って作業できる

iPadで自宅にある Macを快適に遠隔操作しよう

安定して、遅延がほとんどないリモコンアプリの決定版!

機能がどんどん追加されてきたことに加え、サードパーティー製アプリや周辺機器が充実してきたiPadは今や、MacやWindows PCに取って代わる存在といっても過言ではない。一昔前までは、MacやPCがないとできなかった作業のほとんどはiPadでこなせるようになっており、可搬性にも圧倒的に優れているためだ。それでも、動画などのコンテンツ作成、編集といった「重い」作業は、まだ

作者／Phase Five Systems
価格／2,200円

Jump Desktop (RDP, VNC, Fluid)

まだMac、PCにアドバンテージがある。また、ストレージ容量や拡張性についても同様で、大容量の外部ストレージをつなぎっぱなしにして、必要に応じてそこからデータを取り出して利用するというサーバー的な用途でMacやPCを使っている人も多いのではないだろうか。

そんな使い方をしている人におすすめなのが、リモートデスクトップアプリの「Jump Desktop」だ。リモートデスクトップとは、MacやPCといったいわゆる「デスクトップマシン」を、iPadなどのデバイスからリモートコントロールする機能のことで、このアプリを使えば、iPadと操作対象のMac、PCがそれぞれネットワークにつながっていれば、外出先からでもリモートコントロールが可

能になる。この種のアプリとしては驚異的に接続が安定し、遅延がほとんどないことも特筆すべき点だ。

Jump Desktopはこんなアプリ

外出先のiPadから…

アプリを起動して、同一アカウントでサインインしているMacをタップすると、リモートコントロールが開始される。

自宅のMacをリモートコントロールできる!

Mac（Windows PC）側は、アプリをインストールし、iPadと同じアカウントでサインインしていればOK。アカウントの作成やサインインは、以下のように操作してMac側で済ませておくことをおすすめする。

(リモートコントロールの準備をする

1 Mac用アプリを入手する

ここからダウンロード

公式サイト（https://jumpdesktop.com/connect/）からMac用アプリを入手する。Mac用アプリは無料だ。公式サイトからは、Windows PC用アプリも無料で入手できる。

2 アプリをインストールする

ダウンロードしたファイルを展開し、アプリをインストールする。

3 システムへのアクセス権を設定する

アプリの初起動時に、システムへのアクセス権許可の操作を求められる。画面に表示される指示に従い操作すればOKだ。

Jump Desktopで
どんなことができる?

前述のとおり、Jump Desktopを使えば、ネットワーク経由でMacをリモートコントロールできる。基本的にMac単体でできることは、すべてリモートアクセスしているiPadからもできると考えて差し支えない。

ファイルやメニューなどの操作はすべて、画面タッチで可能。文字入力が必要な場面では、画面右下のボタンからスクリーンキーボードを呼び出す。もちろん、iPadに外付けのキーボードが接続されていれば、それを使ってもOKだ。iPadにスクロール機能付きのマウスやトラックパッドが接続されていれば、スクロールもできる。未接続の場合でも、アプリの設定にある「ジェスチャープロフィール」で「トラックパッド」オプションを有効にすれば、画面上を2本指でスワイプしてスクロールできる。

ファイル、メニュー操作は画面タッチで

画面に常に表示されるポインタを利用して、ファイルやメニューなどを操作できるのはMacと同じ。もちろん、Macに接続された外付けストレージ内のファイルやフォルダも操作可能だ。

iPadでは「●」をドラッグ、タップ、ダブルタップしてポインタを操作する

スワイプでスクロールもできる

❷設定ボタンをタップ

❶画面上部中央のインジケーターをタップ

❸「トラックパッド」をタップしてチェックをつける

アプリのオプションで「トラックパッド」のジェスチャープロフィールを有効にすると、iPadの画面上を2本指でスワイプすることでスクロールできるようになる。また2本指タップでコンテクストメニューを表示できる。

MacのパワフルアプリをiPadで使う

写真や動画の編集といった「重い」作業ができるMacアプリも、iPadから遠隔操作可能。Macが高性能であれば、非力なiPadでも高速に処理できる。文字入力が必要な場面ではスクリーンキーボードも使える。

接続を解除する

❶メニューバーのアイコンをクリック

❷メニューからサインインしているアカウントの「Disconnect」をクリック

リモートコントロールを終了するには、メニューバーのアイコンから「Disconnect」のメニュー項目を選択する。もしくは、iPad側でJump Desktopアプリを完全に終了させてもOK。

|ここがポイント|

スリープ、電源オフのMacもリモートコントロールできる?

スリープあるいは電源オフの状態のMacを、iPadからリモートコントロールできるのか。その答えは「No」だ。検証してみたところ、Macがスリープ、電源オフの状態では、Jump DesktopでのMacのアイコンがグレー表示になり、タップしても接続できないため、外出先からMacを操作したい場合は、電源をオンにしておく必要がある。

Jump Desktopのメイン画面。同じアカウントでサインインしているMacのアイコンが表示されるものの、グレー表示になりアクセスできない。

---

4 アカウントを作成、サインインする

アカウントを作成

既存アカウントでサインイン

Macでアプリを起動し、最初に表示される画面で「自動設定」をクリックする。続けて表示される画面で、アカウントを作成、あるいは既存アカウントでサインインする。iPadとMacで同じアカウントでサインインする必要がある。

5 iPadのアプリにMacが表示される

リモートコントロールするMacをタップ

iPadのアプリのメイン画面に、同じアカウントでサインインしているMacが表示されるので、これをタップする。

6 ログインパスワードを入力する

Macのログインパスワードを入力

Mac の認証情報

yuta

Save Password

「OK」をタップ

Macへのログインパスワードを入力して、「OK」をタップすると、リモートコントロールが開始される。

天気やニュースなどをひと目でチェックしたい

情報系アプリのウィジェットを使えばカンタンにできる

こんな用途に便利！

いちいちアプリを切り替えるのがめんどう！

インタラクティブウィジェットならアプリ起動が不要！

ホーム画面を個性的に飾りたい

便利、華やかなウィジェットで自由にカスタマイズできる

スマートに日々の作業を効率化できるウィジェットを使おう

効率化 IMPROVE

ウィジェットの基本的な使い方、種類をマスターする

「ミニアプリ」とも呼ばれ、通常のアプリの一部の機能を抽出したり、取得した情報を表示したりするものが「ウィジェット」だ。iPadOSやiOSでは、このウィジェットをホーム画面に常時表示して、自由にレイアウトできるようになっており、最新ニュースや天気予報のチェック、撮り貯めた写真の鑑賞など、さまざまな用途に活用できる点が大きな魅力となっている。

一方で、この便利なウィジェ

ットを初期設定のままで放置してしまっているという人も多いのではないだろうか。そこでここでは、ウィジェットの基本的な使い方を改めて解説するとともに、ウィジェットにはどんな種類や機能があるのかなどについても、しっかり解説していきたい。

また、本誌で特におすすめしたいサードパーティ製のウィジェット用アプリとして「Launcher」も紹介する。これは複数のアプリを1つのウィジェットにまとめて、そこから各アプリを直接起動できるようにするものだ。一見すると標準機能の「フォルダ」のようだが、ウィジェットのサイズでホーム画面に配置できるので、フォルダと比べて視認性が高い点が魅力だ。課金なしでも十分に便利だが、Launcherの有料プランに課金

作者／Cromulent Labs
価格／無料（アプリ内課金あり）300〜1,500円
Launcher

すれば、ウィジェット作成の自由度がより高まるので、本格的に使いたい人は検討してみてほしい。

ウィジェットを追加、配置する

❷「＋」をタップ
❶画面を長押しする

画面をアイコンが震え出すまで長押しすると、画面左上に「＋」が表示されるので、これをタップする。

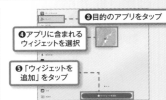

❸目的のアプリをタップ
❹アプリに含まれるウィジェットを選択
❺「ウィジェットを追加」をタップ

ウィジェットは、iPadにインストールされたアプリに同梱されている。まずは目的のアプリを選択し、そこに含まれるウィジェットを選択してホーム画面に配置する。

インタラクティブウィジェットとは？

チェックをつけられる
音楽の再生／一時停止ができる

アプリからの情報を表示するだけでなく、実際に操作できるのがインタラクティブウィジェット。ミュージックアプリのウィジェットでは曲の再生／一時停止操作が、リマインダーアプリのウィジェットではリストのチェックが可能。

スマートスタックとは？

上下スワイプで内容を切り替えられる

「スマートスタック」と呼ばれる特殊なウィジェットは、単一のウィジェット内で複数のアプリからの情報を切り替えて表示できる。切り替えは、スマートスタックウィジェット上を上下にスワイプする。

「Launcher」でウィジェットを作る

1 ウィジェットの名前を付ける

❷「空」をタップ
❹「OK」をタップ
❸ウィジェット名を入力
❶「新規追加」をタップ
ウィジェット名
アプリランチャー
キャンセル　OK

メイン画面で目的のウィジェットサイズの「新規追加」をタップして、「空」をタップし、ウィジェット名を入力して、「OK」をタップする。

2 「＋」をタップする

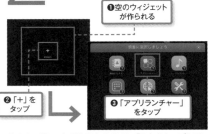

❶空のウィジェットが作られる
❷「＋」をタップ
❸「アプリランチャー」をタップ

空のウィジェットが作られるので、「＋」をタップして、「アプリランチャー」をタップ。なお無料プランの場合、ウィジェットは1日1個まで作成できる。

3 アプリを追加する

❷「＞」をタップして追加もできる
❶追加するアプリの「＋」をタップ

Launcherに対応するアプリが表示されるので、ウィジェットに追加するアプリの「＋」をタップする。「＞」をタップして、「アプリを開く」の「＋」をタップしても同様に追加できる。

標準アプリ、サードパーティアプリのおすすめウィジェットはこれ!

iPadでの作業の効率化に貢献するだけでなく、ホーム画面に置いておくだけでも楽しくなるような、本誌おすすめのウィジェットは右に挙げたとおりだ。

前ページで解説したとおり、ウィジェットはアプリに同梱される形で提供されており、標準アプリだけでなく、対応していればサードパーティアプリにもウィジェットが同梱されていることもある。また、アプリによっては表示サイズや表示内容、機能の異なる複数のウィジェットが同梱されていることもあるので、自分の使い方にマッチするものをホーム画面に配置するようにしたい。

サードパーティのウィジェットはApp Storeでキーワードとして「ウィジェット」と入力して検索できる。もちろん、サードパーティウィジェットも、前ページと同様に操作してホーム画面に配置することで利用できる。

標準の「メモ」アプリのウィジェット

「メモ」アプリのウィジェットには、特定のメモを単独表示するものに加え、指定したフォルダ内のメモを一覧表示するタイプのものがあり、こちらがおすすめ。タップするとアプリが起動し、そのメモの本文が表示される。もちろん、一覧表示するフォルダは後から変更できる。

PDF Expertのウィジェット

人気のサードパーティ製PDFビューア「PDF Expert」もウィジェットを同梱。最近使ったファイルの履歴を一覧するウィジェットや、お気に入りに登録したPDFにすばやくアクセスできるウィジェットが用意されている。

標準の「カレンダー」アプリのウィジェット

「カレンダー」アプリのウィジェットは、バリエーションが豊富。当日の日付や曜日をシンプルに表示する「日付」、一ヶ月カレンダーを表示する「月表示」も便利だが、当日や直近の予定を表示する「次はこちら」が特に便利。iPadでスケジュール管理をするなら必須ウィジェットだ。

1 2
3 4

Googleニュース、Gmailのウィジェット

Googleの代表的なサービス、ニュースとメールの各アプリもウィジェット対応。ニュースのウィジェットでは主要記事のヘッドラインを一覧でき、興味のある記事にすばやくアクセスできる。メールのウィジェットでは新着のチェックはもちろん、作成や検索ができる「クイック操作」のウィジェットが便利。

ここがポイント

ロック画面にもウィジェットを置ける!

ホーム画面だけでなく、ロック画面にもウィジェットを置くことができる(対応アプリのみ)。iPadの画面点灯と同時に、さまざまな情報をチェックできるので便利だ。ロック画面にウィジェットを置くには、ロック画面を長押し→「カスタマイズ」→「ロック画面」→「ウィジェットを追加」をタップし、目的のウィジェットを選ぶ。

ロック画面からウィジェットを通じてすばやく情報をチェックできる。なお、ロック画面に配置できるウィジェットは、標準、サードパーティアプリのうち、対応できるものに限られる点に注意。

---

4 Launcherのウィジェットを追加する

❶「Launcher」をタップ

❷追加したウィジェットと同じサイズのウィジェットを追加する

通常のウィジェットと同様の操作で、ホーム画面に「Launcher」のウィジェットを追加する。作成したウィジェットと同じサイズのウィジェットを追加するようにしよう。

5 ウィジェットが追加される

❶ウィジェットを長押し

❷「ウィジェットを編集」をタップ

初期設定ではウィジェットの中身が表示されない。ウィジェットを長押しして「ウィジェットを編集」をタップする。

6 作成したウィジェットを選択する

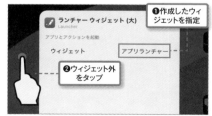

❶作成したウィジェットを指定

❷ウィジェット外をタップ

作成したウィジェットを指定して、ウィジェット外をタップすると、指定したウィジェットが表示されるようになる。

こんな用途に便利！

めんどうな操作手順を省略したい！
長い操作手順を大きく「ショートカット」できる

プログラミングせずに自動化したい！
パーツを選ぶだけで自動化できる

どんなショートカットがあるか知りたい！
「ギャラリー」を見れば、確認できる

ショートカットを駆使して スピーディーに作業に突入しよう！

使わないのは 本当にもったいない、 隠れた便利アプリ

標準アプリの1つである「ショートカット」だが、何に使うのかわからない、難しそうなので手を出しにくいといった声もよく聞かれる。実はこのアプリ、iPadでの作業を劇的に効率化してくれる可能性を秘めているので、使わないのは本当にもったいない！

このアプリは、iPadでのさまざまな操作を自動化して、本来なら数ステップの手順が必要なところを、ワンステップの操作

作者／Apple
価格／無料（標準アプリ）

ショートカット

で完了させることができる「ショートカット」を作成、管理するためのアプリだ。自動化、ショートカットの作成と聞くと、プログラミングの知識が必要とイメージしてしまいがちだが、このアプリではそんな知識やスキルは一切不要で、用意されているパーツ（アクション）を組み合わせ、ちょっとした設定をするだけで○Kだ。「このアプリの特定の機能を頻繁に使うけど、それを呼び出す操作の手間がかかるのが難点」といった場合は、「ショートカット」アプリで、その機能を呼び出すためのアクションを検索してみて、もし該当するアクションが見つかったら、下段の手順のように操作して、そのアクションを使ってショートカットを作ってみるといいだろう。

なお、作成したアクションには自動的にその内容を示す名前がつけられる。この名前はその

まま音声コマンドになり、Siriから実行できることを覚えておこう。

たとえば特定のアプリをSplit Viewで並べたい場合…

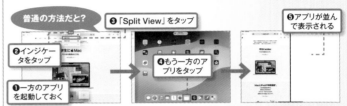

Split Viewで特定のアプリ2つを並べて表示する場合、通常は、一方のアプリを起動しておき、画面上部中央のインジケーターをタップして、メニューから「Split View」をタップし、もう一方のアプリのアイコンをタップするという、4つの操作手順が必要になる。

上の操作手順をショートカット化したものを用意しておけば、それをタップするだけで、Split Viewで指定した2つのアプリが並べられる。

オリジナルのショートカットを作ってみよう

1 「＋」をタップする

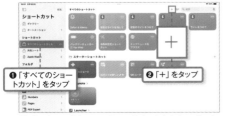

サイドバーの「すべてのショートカット」をタップして、画面右上にある「＋」をタップする。

2 編集画面が表示される

ショートカットの編集画面が表示される。画面右の「アプリおよびアクションを検索」と表示された検索ボックスをタップする。ここで提案されているアクションを選んでもOK。

3 アクションを検索する

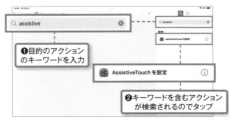

キーワードを入力すると、そのキーワードを含むアクションが検索される。検索されたアクションをタップする。

作成済みショートカットならすぐに使える!

前ページでは、ショートカットの意味と役割を、ページ下段では作成方法をそれぞれ解説しているが、それでも自分で作るのはめんどう!という人向けに、「ショートカット」アプリには「ギャラリー」が用意されている。ギャラリーには、作成、設定済みのショートカットが多数収録されており、ここから右のように操作して自分のショートカットとして追加することで、自分で作成したものと同様に使えるようになる。もちろん、追加したショートカットは再編集することもできるので、自分の使い方に合わせてカスタマイズしてもいいだろう。

なお下のコラムでは、ギャラリーから追加できる本誌おすすめのショートカットをいくつか紹介している。試してみて気に入ったものがあれば、ぜひ自分のショートカットとして登録し、活用してほしい。

ギャラリーを表示する

サイドバーの「ギャラリー」をタップすると、作成、設定済みのショートカットが表示される。ここから目的のショートカットの「+」をタップする。

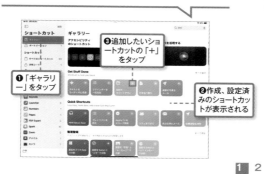

❶「ギャラリー」をタップ
❷作成、設定済みのショートカットが表示される
❸追加したいショートカットの「+」をタップ

ショートカットが追加される

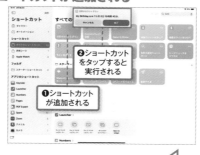

❶ショートカットが追加される
❷ショートカットをタップすると実行される

サイドバーの「すべてのショートカット」をタップすると、ショートカットが追加されていることが確認できる。通常のものと同様に、ショートカットをタップして実行する。

初期設定をする

選択したショートカットによっては、初期設定が必要。ここで選択した「日数のカウントダウン」のショートカットでは、カウントダウンする日付とイベントの名前を設定する。

❶カウントダウンする日付を設定
❷「次へ」をタップ
❸イベントの名前を入力
❹「ショートカットを追加」をタップ

1	2
3	4

ショートカットを編集する

❶ショートカットを長押し
❷「編集」をタップ
❸ショートカットの内容が表示され、編集できる

ショートカットを長押しすると表示されるメニューで「編集」をタップすると、編集画面に切り替わる。ここではショートカットを再編集できる。

ギャラリーから入手できるおすすめショートカット

ショートカットの名前	説明
自宅への経路	現在地から自宅までのルートを検索し、ナビを開始する
画面を2つのAppで分割	Split Viewを開始する
テキストを翻訳	選択したテキストを他言語に翻訳する
記事をランダムに開く	ニュースアプリの記事をランダムに表示する
アーティストの曲を再生	指定したアーティストの曲をApple Musicから検索、再生する

---

4 アクションが追加される

❶アクションの内容を編集する
❷「<」をタップ

アクションが追加される。AssistiveTouchのアクションでは、ショートカット実行時にオンにするだけか(「変更」)、オンとオフを切り替えるのか(「切り替える」)、毎回確認するのかを選択できる。選択したら画面左上の「<」をタップ。

5 ショートカットが作成される

❶ショートカットが作成される
❷タップすると機能が実行される

ショートカットが作成され、タップするごとにAssistive Touchのオン／オフが切り替えられる。

6 ホーム画面にショートカットを追加する

❶共有ボタンをタップ
❷「ホーム画面に追加」をタップ

ショートカットはホーム画面のアイコンとして追加することもできる。ホーム画面に追加することで、「ショートカット」アプリを起動することなくアクションを実行できるので便利。

MacBookのようにiPadを街中で使おう！

カフェで iPadを 使おう！

カフェや喫茶店でiPadを使っている人の比重が増えている。メインのマシンがMacBookでも「外出先ではiPadを使う」と言っているYouTuberの方なども増えているようだ。それは、どのような理由があるのだろうか。そして、実際に便利に使えるのか、そのあたりを考察してみた。

数年前ぐらいから、スターバックスなどのカフェを中心に、さまざまな場所で、MacBookではなく、iPadにMagic KeyboardやSmart Keyboard Folioなどをつけて、普通にMacBookのように使っている人が増えている傾向がある。さすがに外付けキーボードをつけていない人は少数だが、キーボードさえ装備していれば、「iPadはMacBookと変わらないですよ！」とでも言わんばかりにiPadの画面に没入している光景をよく目にするのだ。

これには、さまざまな理由があると思うが、ポイントをひとつひとつ挙げて解説してみよう。

1 とにかく コンパクト！

iPadは、miniはもちろん、11インチモデルまでならMacBookに比べると明らかにコンパクトだ。10.9インチのAirや、11インチiPad Proは、Magic Keyboardをつけるとかなり重くなってしまうが、それでも13インチのMacBook Airなどを運ぶよりは軽くなる。また、両面がキーボードによってカバーされる形になるので、傷もつきにくく、運搬に気を使わないでいい点も重要だ。

Magic KeyboardをつけたiPadは、見た目も美しく、カフェや外出先での時間を快適にしてくれる。

2

電源に
気を配る
必要がない

　MacBookはシャットダウン状態の電源オン時にはもちろん、スリープから復帰の際でも、わずかではあるが印象として「電源を操作している」という気持ちが介入してくる。それに対してiPadは、バッテリーが充電されてさえいれば、電源のことを意識する必要がほとんどない。小さなことではあるが、こういう細かい現象が少しずつ影響してくる部分だ。

3

スキマ時間
でも手軽に
使える

　カフェや喫茶店で、あと15分たったら店を出なければいけない時間だったとしても、iPadなら何も意識することなくカバンから取り出して使う気になるが、MacBookだとそうはいかない。ほんのわずかではあるが、「時間が少ないからMacを出すのはやめておこう」という気分になってしまうことがあるのだ。（2）で語ったように、電源関連でわずかながら面倒な要素があることと、iPadならダイレクトに作業画面に入れるし、片手に持ったままでも操作ができるが、MacBookの場合は、テーブルにちゃんと置きつつ、「PCを扱う」という気持ちになってしまうことが大きな理由だろう。とにかく、iPadの方が圧倒的に手軽に使えるのである。

自宅や会社では浮かばなかったアイデアも、環境を変えることで浮かぶことは多い。ゆったりとアイデアを考えていこう。

Apple Pencilが使える!

4

これは特に説明の必要がないだろう。MacBookがどんなにハイスペックでも、Apple Pencilを使うことはできないので、脳の中の情報を手書きで整理したり、思いついたことをサラッと手書きでメモしたりすることはできない。タイピングも快適に行え、手書きも超スムーズに行えるのはiPadならではなのだ。

余談になるが、Apple Pencilを使うことが多いなら、キーボードはSmart Keyboard（Folio）の方が、Magic Keyboardより便利だ。Smart Keyboardならば、逆向きに置くことで、手前側にiPadを傾斜させ、Pencilを快適に使うことができるが、Magic Keyboardの場合は、iPadをキーボードから外さなければ上手くPencilを使うことができない。

Smart Keyboard Folioならば、タイピングもApple Pencilの使用も快適にこなせる。Magic Keyboardのように高価でない点も魅力的だ。

「PCの代わりにはならない!」という通説も弱まってきた

5

iPadが登場してから15年近くが経過しているが、ごく最初のうちから「iPadはPCの代わりになるか？」という議論はされ続けてきた。最初のうちは、無理だという意見が大半だったが、iPadOSが出てしばらくたった現在ではそうでもなく、「90%近くのPC作業は行えるのでは！？」という意見もめだつ。特に現在では、負担の重い作業の代表格であった「動画編集」も、iPad単体でまったく問題ないレベルで可能になっているし、本書110ページで解説しているようにiPadから自宅のMacを遠隔操作することも可能だ。

「ファイル整理」というジャンルの作業が苦手なのは今も変わらないが、あらゆる作業をiPadでしなければならないわけではないので、外出先の限られた時間なら、iPadでできること、iPadが得意なことをすればいいのである。

6

PCを操作
するより
気持ち的に楽!

　これはiPad派の人なら、すぐに納得してくれるだろうと思うが、iPadでの作業は、MacBookでの作業より、なぜか心理的な緊張感が少ないのである。その理由を明確に分析するのは難しいが、タップでの操作性、iPadならではの外観、インターフェースなど、iPad全体が醸し出すコンフォータブルな印象がそうさせるのではないかと思う。要するに、MacBookより、iPadの方が「仕事シテマス!」感が少なく、快適な時間を過ごしやすいのである。

　以上のような点から、外出先で使うiPadの快適さを少しは説明できたのではないだろうか。普段からそのようにiPadを使っている人なら「何を今さら!」という話だったかもしれないが、外出の際はMacBookや、WindowsのノートPCを迷わず持ち運んでいた人も、試しにiPadを一時的に導入してみるのはどうだろうか。PCにはなかった新たな快適さを味わえる可能性はおおいにあるだろう。

外出先で便利に使える、
おすすめツール

テキスト入力	メモ、Bear、Notionなど
PDFツール	PDF Expert（ファイラーとしても使える）、PDF Viewerなど
手書きノート	Goodnotes、フリーボード、Prodraftsなど
ファイル管理	Documents、PDF Expert、ファイルアプリなど
動画編集	Luma Fusion、DaVinci Resolveなど

Split ViewやSlide Overで使いやすいアプリが便利だ。

こんな用途に便利！

さまざまな取説を一元管理
家電やガジェットなど、さまざまな取説を1アプリで管理できる

キーワード検索で解決策をすぐに確認
ブックに保存すればキーワード検索が利用可能に。エラーの意味もすぐに探し出せる

端末間で取説を同期
iCloudでの同期に対応しているので、全てのデバイスから見られる

家電などのマニュアルは「ブック」アプリにPDFで保存しておこう

「ブック」アプリはPDF管理ツールとしても優秀だ

家電を購入するとついてくるマニュアル・取扱説明書（取説）。大切に保管しておこうと思っても、どこに置いたか忘れたり、紛失したり……。欲しいときにすぐ出てこないのが取説というもの。そんなときに慌てないように、事前に準備をしておくと便利になる簡単なテクニックがある。取説のPDF版をメーカーのウェブサイトから「ブック」アプリにインポートしておこう。

作者／Apple
価格／無料

Apple Books

「ブック」アプリは、iPhoneやiPadで電子書籍を楽しむことができるアプリだが、PDFファイルも扱えるのが特徴。取り込んだPDFファイルは、コレクション（フォルダ）で分類したり、キーワードで探したり、目次から移動したりすることができる。たとえば、エアコンのリモコンの操作方法や洗濯機の洗濯コースやエラーの種類、掃除機のフィルターの交換方法など、知りたい情報を手早く確認することができるのだ。

また、PDFファイルはオフラインでも閲覧できるので、インターネットに接続できない場所でも安心。拡大縮小できるため、小さな文字や図が見やすいのもありがたい。家電を買ったら取説のダウンロードまでをひとつの手順としておこう。

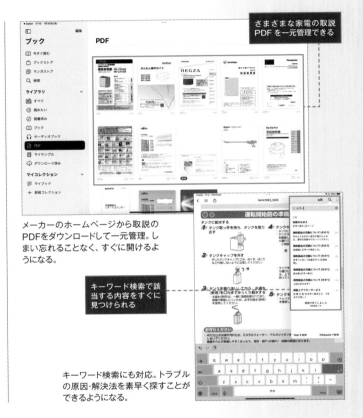

さまざまな家電の取説PDFを一元管理できる

メーカーのホームページから取説のPDFをダウンロードして一元管理。しまい忘れることなく、すぐに開けるようになる。

キーワード検索で該当する内容をすぐに見つけられる

キーワード検索にも対応。トラブルの原因・解決法を素早く探すことができるようになる。

取説をダウンロードしてブックアプリに保存する

1 取説をブックに保存する

❶タップ

❷タップして「ブック」アプリにダウンロードする（一覧にない場合は左にスワイプして「…」から追加する）

Safariでメーカーホームページにアクセスし、取説のPDFを開いたら「アクション」ボタンから「ブック」をタップする。

2 ブックアプリで見られるようになる

ブックアプリにPDFが保存され、ブックアプリからいつでも取説を見られるようになる。

3 家電の取説をどんどん取り込もう

リストの「PDF」にダウンロードしたPDFがまとめられる

最近は多くのメーカーで取説のダウンロードができるようになっている。自宅の家電の取説をどんどんPDFで保存していこう。

ブックに保存するだけで紙の取説を上回る便利機能が利用可能に

家電の取説PDFをダウンロードしてブックアプリで管理すると、紙の取説ではできない便利なことがたくさんできるようになる。　例えば、取説に書かれているURLにアクセスしたい場合は、URLを手入力しなくても、タップすればOK。Safariを起動してそのページに素早くジャンプできるので、メーカーの最新情報やサポートページなどのチェックもスムーズになる。

また、キーワード検索機能も便利。エラーコードやトラブルシューティングの方法などをキーワードからすぐに絞り込み、該当するページを探しだすことができる。さらにPDF内の文字はコピーしてメールやメッセージで共有することも可能だ。

こうして紙の取説では実現できない、デジタルならではの利便性を多々受け取れるので、今後は取説のデジタル保管をマストにしていこう。

URLへのジャンプ

PDF内にURLがある場合は、そちらをタップするとSafariでリンクを開くことができる。

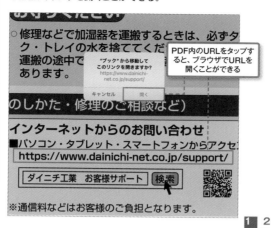

PDF内のURLをタップすると、ブラウザでURLを開くことができる

キーワードで検索

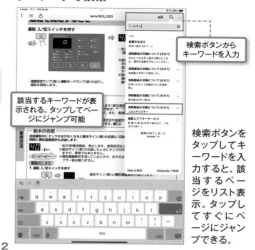

検索ボタンからキーワードを入力

該当するキーワードが表示される。タップしてページにジャンプ可能

検索ボタンをタップしてキーワードを入力すると、該当するページをリスト表示。タップしてすぐにページにジャンプできる。

1 **2**
3 **4**

リスト表示

サムネイル表示

ページのサムネイル・リスト表示

左上の表示切り替えから、PDFページのサムネイル表示、リスト表示を切り替えることができる。

範囲を選択してテキストをコピーできる

テキストをコピペできる

テキストは範囲選択してコピーできる。メッセージやメールなどで、内容を伝えるのも簡単だ。

ここがポイント

iCloudで同期されるためiPhoneからも確認できる

実は「ブック」アプリに保存するメリットがもうひとつ。それは保存したPDFをiCloudを通じて同期できるところ。ダウンロード購入した電子書籍のように、別のiPadから開いたり、iPhoneからも同じ取説PDFを確認できるようになるので、使い勝手がさらにアップする。

iPadの「ブック」に保存した取説PDFは、iPhoneからも確認できるようになる。

---

4 コレクションを作成する

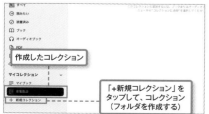

作成したコレクション

「+新規コレクション」をタップして、コレクション（フォルダを作成する）

取説のPDFはコレクションでまとめると便利。左のリストから「+新規コレクション」をタップしてコレクションの名前を入力する。

5 移動したいPDFを選択する

❶タップ

❷タップ

❸コレクションに追加したいPDFをタップで選択

❹「追加」をタップ

PDFをコレクションに移動させよう。「…」→「選択」をタップ。コレクションに追加したいPDFをタップして選び、「追加」をタップする。

6 移動先のコレクションを指定する

手順4で作成したコレクションをタップ

以後はこちらから追加したPDFを確認できる

手順4で作成したコレクションを選ぼう。以後、左リストのコレクションからすぐに家電のPDFを探せる。

こんな用途に便利！

複数のタスクを見やすく管理したい
チャート式でタスクの繋がりが一目瞭然

複数のタスクを同時に進行したい
タスクの繋がり（リンク）が可視化されるので、タスク忘れなどのミスを減らすことができる

思考を整理しながらタスクを管理したい
タスクの洗い出しと、タスクの連携の2ステップで、思考整理が捗る

思考を整理しつつ タスク管理もできる「Taskheat」

フローチャートで管理できるタスク整理術

その日のやるべきタスクや、週・月の大きなタスクまで、ビジネスシーンでは大小さまざまなタスクの処理を求められる。これらは標準の「リマインダー」で管理することもできるが、複数のタスクが入り交じる状態で、それぞれのタスクの進行もまちまちとなれば、どれから手をつけていいのかわからなくなってしまう。そこで、タスク管理から一歩進んだ「タスク整理」へと手を伸ばしてみよう。

作者／Eyen
価格／無料（App内課金あり）
※フルバージョンは2,200円

Taskheat

「TaskHeat」は、タスクをフローチャートで管理できるグラフィカルなタスクツールだ。

多くのタスクツールが、タスクを「リスト」で列挙していくスタイルなのに対して「TaskHeat」では、タスクと関連するタスクとをドラッグでリンク。フローチャートのようにタスク同士が繋がり、タスクの全体像や進行度を効率よく可視化することができる。

また、関連するタスクを繋ぐという作業も、マインドの整理に役立つので、まずは14日間の試用期間で試してみるといい。1日の始まりを「TaskHeat」でのタスクの洗い出しと、関連タスクのリンクからスタートすれば、驚くほど思考がクリアになるはずだ。

フローチャート

分類されたタスクを素早く確認できる

「フローチャート」と「リスト」を切り替える

リスト

タスクとタスクとを繋いで管理できる「フローチャート」が最大の特徴。「リスト」をクリックすると一般的なリスト式の管理ビューも表示できる。

チャート形式のタスクを作成・完了させる

1 プロジェクトを作成する

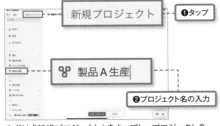

新規プロジェクト → ❶タップ

製品Ａ生産

❷プロジェクト名の入力

まずは「新規プロジェクト」をタップし、プロジェクト名を入力する。

2 タスクを作成する

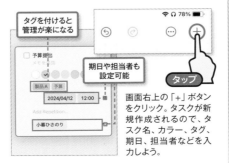

タグを付けると管理が楽になる

期日や担当者も設定可能

タップ

画面右上の「＋」ボタンをクリック。タスクが新規作成されるので、タスク名、カラー、タグ、期日、担当者などを入力しよう。

3 関連するタスクを追加する

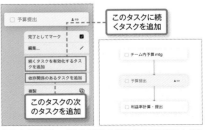

このタスクに続くタスクを追加

完了としてマーク
編集...
続くタスクを有効化するタスクを追加
依存関係のあるタスクを追加
複製
このタスクの次のタスクを追加

タスクを長押し。「依存関係のあるタスクを追加」から続くタスクを追加していこう。

関連するタスクを線で繋げてチャートを作成

「Taskheat」を効率良く使うのにオススメの方法として、まずは「+」ボタンからどんどんタスクを追加してしまおう。やるべきことを一通り洗い出したら、2ステップ目はタスクの右にある「○」ボタンをドラッグして、関連させたいタスクへと線を繋げていくのがいい。

この際、タスクは上下に繋げるだけではない。1つのタスクから複数のタスクへとチャートを延ばすことができるので、並行タスクも見やすく管理可能。この際は自動的にチャートがレイアウトされ、複雑に入り組んだ工程も見やすく整理される。

この2段階方式で散らばったタスクをまとめて（繋げて）いくことで、思考の整理と、効率の良いタスク管理・進行が狙えるはずだ。

追加したタスクの中で、関連するタスク。もしくは連続したタスクなどはチャートを繋げていこう。「○」をドラッグして繋げたいタスクまで線をつなげればOKだ。

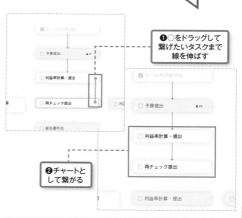

❶○をドラッグして繋げたいタスクまで線を伸ばす

❷チャートとして繋がる

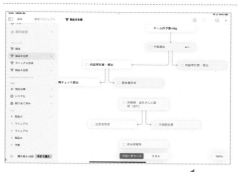

こうして、1つのプロジェクトの中で、関連するタスクと別のフェーズで進むタスクとを、グラフィカルに整理することができる。

チャートの繋げ方によっては、接続に合わせて見やすい形に自動でレイアウトが変わっていく。1つのタスクから複数のタスクに接続することも可能だ。

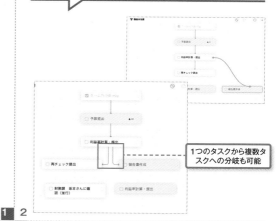

1つのタスクから複数タスクへの分岐も可能

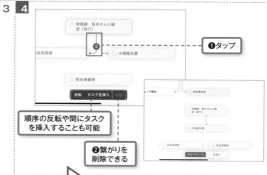

❶タップ

順序の反転や間にタスクを挿入することも可能

❷繋がりを削除できる

タスク繋がりを解除したい場合は、チャートの線をタップして「削除」をタップすればいい。反転や間にタスクを挿入することもできる。

ここがポイント

タスクの洗い出しはリスト表示も便利

画面下部の「リスト」をタップすると、画面がリスト表示に変化する。このリスト表示ではタスク同士の関連性は見えないが、やるべきタスクの洗い出しには視認性が良い。膨大なタスクがある場合は、まずはこのリスト画面を使ってタスクを登録し、上で紹介した手順に従って、後ほど関連タスクを「フローチャート」画面で接続していくのも便利だ。

リストへ切り替え

リスト表示はタスクを大量に追加したい場合に便利。整理は後ほど行おう。

---

4 「+」ボタンでタスク追加も可能

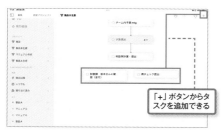

「+」ボタンからタスクを追加できる

「+」ボタンから連続的にタスクを追加できる。フローチャート化を後ほど行なう場合はこの方法が便利だ。

5 済んだタスクを完了させる

❶チェックを入れる

❷「完了」に分類される

作成したタスクが完了したら、チェックボックスにチェックを入れる。完了したタスクは、「完了」に分類される。

6 完了したタスクを非表示にして整理する

チャートを整理したい場合はこちら

「完了済みを表示」をオフにすると、完了したタスクが消え、残ったチャートだけが整理されて見やすくなる。

こんな
用途に
便利！

クラウドと同期フォルダを作成できる
Dropboxなどのクラウドに接続できるだけでなく、同期させて使うことができる

Dropboxの接続台数制限を回避できる
無料プランのDropboxは接続台数が制限されるがDocumentsならばカウントされない

標準ファイルアプリより多機能
ファイルアプリより便利に使える機能が多いのでぜひ試してみよう

ファイルアプリよりも多機能で便利な Documentsでファイルを管理！

ファイルアプリより はるかに便利な 機能がたっぷり！

iPadの中にあるファイルを管理する意味では、標準のファイルアプリもそこそこに便利ではあるが、「Documents」アプリの方がはるかに効率的にファイルを操作できる。メインのファイル管理アプリにはDocumentsを使うのがおすすめた。

もっとも便利な機能は、Dropboxなどのクラウドとのフォルダ同期機能だ。クラウドに接続できるだけでなく、好きなフォルダをPCとiPadで同期させて使うことができる。Dropboxの場合は、無料版での同期台数の制限も回避できてしまう。同期フォルダ内にあるPDFや画像には、Documentsアプリ内だけで注釈をつけることもでき、

無料なのが信じられない高機能ぶりだ。

それ以外にも、Zip以外の圧縮ファイルの解凍や、FTP、WiFi Transferでの外部との便利な接続、写真フォルダへの直接アクセス、内蔵ブラウザでのダウンロードやWebページのPDF保存など、ファイルアプリより便利な点が非常にたくさん存在している。

作者／Readdle Inc.
カテゴリ／仕事効率化

Documents

Documentsの基本画面

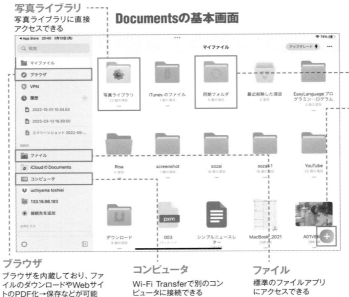

写真ライブラリ
写真ライブラリに直接アクセスできる

同期フォルダ
クラウドで同期したフォルダにアクセスできる。オフラインでもファイルを扱えるのがポイント

新規ファイルの作成・取り込み

PDFへの注釈機能もある！

PDFを開くと、PDF Expertとまったく同じ画面が開き、注釈などを行える。

ブラウザ
ブラウザを内蔵しており、ファイルのダウンロードやWebサイトのPDF化→保存などが可能

コンピュータ
Wi-Fi Transferで別のコンピュータに接続できる

ファイル
標準のファイルアプリにアクセスできる

Documentsの便利な使い方はこれ！

1 使いやすいファイル 管理機能

ファイルアプリと同等の機能はほぼ備わっており、ファイルの並べ替え、移動、削除などは同じように行える。カラム表示がない点だけが悔やまれる。

2 写真ライブラリに 直接アクセスできる

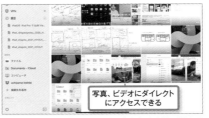

サイドメニューの「マイファイル」からは直接、写真ライブラリにアクセスでき、写真ファイルを扱える。なぜ標準ファイルアプリにこれができないのか不明だ。

3 動画の再生がとっても 快適に行える！

動画の再生は、画面のダブルタップで早送り、巻き戻し（スキップ時間も変更可能）ができ、再生速度も変更可能だ。ピクチャインピクチャにも対応している。

もっとも便利な「同期フォルダ」機能を利用する

標準のファイルアプリも、Dropboxをはじめ各種クラウドに接続できるが、オンラインでしかアクセスできない。しかしDocumentsならフォルダを同期させることでオフラインでのアクセスも可能になる。つまり、自宅で必要なフォルダを同期させておいて、電車内でチェックやマークアップをして会社で修正を入れたファイルを再度同期させる……というようなことが可能になるのだ。

クラウドにアクセスして、必要なファイルをダウンロードして、修正を入れてから再度アップ……のような面倒なことがなくなるので、本当に便利だ。日常の作業をクラウド上で行っている人には、ぜひとも試して欲しい。

左側メニューの「+接続先の追加」をタップして接続したいクラウドを選ぼう。WebDAVやFTPにも接続可能だ。タップしたら、IDとパスワードを入力する。

接続したいクラウドを選ぶ

クラウドに接続できたら、同期したいフォルダを開いて、右上の「…」から「同期」をタップして、次に「このフォルダを同期」をタップしよう。

1 2
3 4

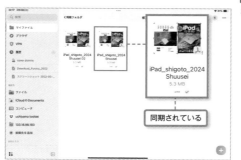

同期されている

同期が完了すると「マイファイル」→「同期フォルダ」の中に、同期させたフォルダが現れる。このあとはオフラインでも作業をすることができる。

同期フォルダの中のファイルに、マークアップして同期させれば、元のフォルダも最新のファイルに更新される。PDFだけでなく、Jpgにもマークアップは可能だ。

｜こ｜こ｜が｜ポ｜イ｜ン｜ト｜

重いファイルを同期させたときは、一度接続を切る手もあり！

同期フォルダ内のファイルに変更を加えると、その都度Documentsはネットに接続してファイルを更新しようとするので、その影響で操作が重くなったり、一部の操作が受け付けられない場合がある。そのような場合は、最初に同期フォルダを作成後、オフラインにして作業し、作業が終わったらネットに接続して更新する方法も覚えておこう。

操作が重くなったら、接続が続いていないかチェックしよう。

---

4 さまざまなファイル形式に対応

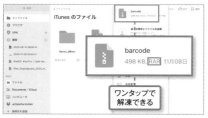

ワンタップで解凍できる

Zip以外の圧縮ファイル、例えば「.rar」のファイルでもワンタップで解凍できる。音楽ファイルではFlacファイルも扱えて便利だ。

5 PDFの閲覧が快適！見開き表示もOK

タップで見開き表示に

PDF Expertが人気のReaddle社のアプリだけあって、PDFの閲覧性は高い。右上の表示設定から「2ページ」を選べば見開き表示も可能だ。

6 複数ファイルやフォルダをiPhoneやMacに送信できる

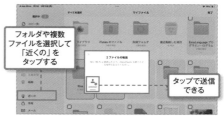

フォルダや複数ファイルを選択して「近くの」をタップする

タップで送信できる

iPhoneやMacへのフォルダ単位や種類の異なるファイルの複数送信もDocumentsなら可能だ。iPhoneやMacでDocumentsを起動しておけばOKだ。

iPad
仕事術！
iPad Working Style Book!!!!
2024

2024年2月29日発行

執筆
河本亮
小暮ひさのり
小原裕太

カバー・本文デザイン
ゴロー2000歳

本文デザイン・DTP
松澤由佳

協力
Apple Japan

編集人:内山利栄
発行人:佐藤孔建

発行・発売所:スタンダーズ株式会社
〒160-0008　東京都新宿区四谷三栄町12-4
竹田ビル3F
営業部(TEL) 03-6380-6132
印刷所:中央精版印刷株式会社

©standards 2024
Printed in Japan

iPad便利すぎる！295のテクニック！

全国書店、
Amazonなどで
絶賛発売中!!
1,350円（税込）

入門者、初心者〜中級者におすすめのiPadの最新テクニック集です。iPad操作の基本や、iPadOSの初歩的な解説から、仕事、エンタメ、生活に役立つものなど全ジャンルのベストなアプリの解説まで網羅した、152ページのボリュームある一冊です。

iPad便利すぎる！295のテクニック
B5サイズ
Kindle Unlimitedでもお読みいただけます
発行・発売:スタンダーズ株式会社

https://www.standards.co.jp